MAX E OS FELINOS

Livros do autor publicados pela **L&PM** Editores:

Uma autobiografia literária – O texto, ou: a vida
Cenas da vida minúscula
O ciclo das águas
Os deuses de Raquel
Dicionário do viajante insólito
Doutor Miragem
A estranha nação de Rafael Mendes
O exército de um homem só
A festa no castelo
A guerra no Bom Fim
Uma história farroupilha
Histórias de Porto Alegre
Histórias para (quase) todos os gostos
Histórias que os jornais não contam
A massagista japonesa
Max e os felinos
Mês de cães danados
Minha mãe não dorme enquanto eu não chegar e outras crônicas
Pai e filho, filho e pai e outros contos
Pega pra Kaputt! (com Josué Guimarães, Luis Fernando Verissimo e Edgar Vasques)
Se eu fosse Rothschild
Os voluntários

Moacyr Scliar

MAX E OS FELINOS

www.lpm.com.br
L&PM POCKET

Coleção **L&PM** POCKET, vol. 234

Texto de acordo com a nova ortografia.

Este livro foi publicado pela L&PM Editores, em formato 14x21, em 1981.

Primeira edição na Coleção **L&PM** POCKET: junho de 2001
Esta reimpressão: fevereiro de 2024

Capa: Ivan Pinheiro Machado sobre ilustração de Edgar Vasques
Revisão: Renato Deitos e Ruiz Faillace
Produção: L&PM Editores

ISBN 978-85-254-1048-1

S419m   Scliar, Moacyr 1937-2011
         Max e os felinos / Moacyr Scliar. Porto Alegre: L&PM, 2024.
         128 p. ; 18 cm – (Coleção L&PM POCKET)

         1. Novelas brasileiras. I. Título. II. Série.

                      CDD 869..932
                      CDU 869.0(81)-32

Catalogação elaborada por Izabel A. Merlo, CRB 10/329

© 2013 herdeiros by Moacyr Scliar

Todos os direitos desta edição reservados a L&PM Editores
Rua Comendador Coruja 314, loja 9 – Floresta – 90.220-180
Porto Alegre – RS – Brasil / Fone: 51.3225.5777

Pedidos & Depto. Comercial: vendas@lpm.com.br
Fale conosco: info@lpm.com.br
www.lpm.com.br

Impresso no Brasil
Verão de 2024

Sumário

A controvérsia sobre *Max e os felinos* e *Life of Pi* – *Moacyr Scliar* / 11

De trânsitos e de sobrevivências – *Zilá Bernd* / 23

Max e os felinos / 39
    O tigre sobre o armário / 41
    O jaguar no escaler / 65
    A onça no morro / 95

Sobre o autor / 123

Para os amigos e primeiros leitores: Lígia, Regina, Isaac, Ivan, Maria da Glória, José Onofre, Maria Helena.
Para Klaus e Seldi.

Medo, eu? O tigre não tem medo de ninguém... O tigre invisível. A minha alma.

Francisco Macías Ngueme
Ditador deposto da Guiné Equatorial

A controvérsia sobre
Max e os felinos e *Life of Pi*

Moacyr Scliar

O Destino ainda bate à porta, claro, mas nesta época de comunicações instantâneas prefere o telefone. Na tarde de 30 de outubro de 2002, voltando para casa cansado de uma viagem, recebi uma ligação. Era uma jornalista do jornal *O Globo*, dando-me uma notícia que, a princípio, não entendi bem: parece que um escritor tinha ganho, na Europa, um prêmio importante com um livro baseado em um texto meu.

Minha primeira reação foi de estranheza: um escritor, e do chamado Primeiro Mundo, copiando um autor brasileiro? Copiando a mim? Ela se ofereceu para me dar mais detalhes, o que foi feito em telefonemas seguintes, e assim aos poucos fui mergulhando no que se revelaria, nos dias seguintes, um verdadeiros torvelinho, uma experiência pela qual eu nunca havia passado.

Sim, um escritor canadense chamado Yann Martel havia recebido, na Inglaterra, o prestigioso prêmio Booker, no valor de 55 mil libras esterlinas, conferido anualmente a autores do Commonwealth britânico ou da República da Irlanda (entre outros: Ian McEwan, Michael Ondaatje, Kingsley Amis, J.M.Coetzee, Salman Rushdie, Iris Murdoch). Sim, ele dizia que havia se baseado em um livro meu, *Max e os felinos*, publicado no Brasil em 1981, pela L&PM (Porto Alegre), e traduzido poucos anos depois nos Estados Unidos como *Max and the Cats* (New York, Ballantine Books, 1990) e na França como *Max et les Chats* (Paris, Presses de la Renaissance, 1991). É uma pequena novela que escrevi com grande prazer – lembro-me de um fim de semana na serra gaúcha em que matraqueava animado a máquina de escrever, em todos os minutos em que não estava cuidando de meu filho, ainda pequeno.

Minha primeira reação não foi de contrariedade. Ao contrário, de alguma forma senti-me envaidecido por ter alguém se entusiasmado pela ideia tanto quanto eu próprio me entusiasmara. Mas havia, na notícia, um componente desagradável e estranho, tão estranho quanto desagradável. Yann Martel não tinha, segundo suas declarações, lido a novela. Tomara conhecimento dela através de uma resenha do escritor John Updike para o *New York Times*, resenha desfavorável, segundo ele.

Esta afirmativa me perturbou. *Max and the Cats* não chegou a ser um *best-seller*, mas os artigos sobre o livro, que me haviam sido enviados pela editora, eram favoráveis – inclusive o do *New York Times*, assinado por Herbert Mitgang. Teria Updike escrito uma outra resenha – para o mesmo jornal? Se era esse o caso, por que eu não a recebera? Será que os editores só mandavam resenhas favoráveis?

À afirmativa seguia-se um comentário de Martel. Uma pena, dizia ele, que uma ideia boa tivesse sido estragada por um escritor menor. Mas, em seguida, levantava uma outra hipótese: e se eu não fosse um escritor menor? E se Updike tivesse se enganado? De qualquer maneira a ideia principal do livro serviu-lhe de ponto de partida para sua obra *Life of Pi*. E qual é essa ideia?

O Max Schmidt de meu livro é um jovem alemão que está fugindo do nazismo e que embarca para o Brasil. O navio em que viaja, um velho cargueiro, transporta também animais de um zoológico. Há um naufrágio, criminoso, mas Max salva-se em um escaler. E de repente sobe a bordo um sobrevivente inesperado e ameaçador: um jaguar. Começa então a segunda parte da novela, que tem como título *O jaguar no escaler*.

Esta, a ideia que motivou Martel. O seu personagem, Piscine Molitor Patel, Pi, é um menino hindu cujo pai é dono de um zoológico. A família emigra para o Canadá, levando os animais a bordo. Há, na segunda parte do livro, um naufrágio (que depois será considerado criminoso). Pi salva-se. No mesmo barco estão um tigre de Bengala, um orangotango e uma zebra. O tigre liquida os três e Pi fica à deriva com o felino por mais de duzentos dias.

O texto de Martel é diferente do texto de *Max e os felinos*. Mas o *leitmotiv* é, sim, o mesmo. E aí surge o embaraçoso termo: plágio.

Embaraçoso não para mim, devo dizer logo. Na verdade, e como disse antes, o fato de Martel ter usado a ideia não chegava a me incomodar. Incomodava--me a suposta resenha e também a maneira pela qual tomei conhecimento do livro. De fato, não fosse o prêmio, eu talvez nem ficasse sabendo da existência da obra. No lugar de Martel eu procuraria avisar o autor. Aliás, foi o que fiz, em outra circunstância. Meu livro *A mulher que escreveu a Bíblia* teve como ponto de partida uma hipótese levantada pelo famoso *scholar* norte-americano Harold Bloom segundo a qual uma parte do Antigo Testamento poderia ter sido escrita por uma mulher, à época do rei Salomão. Tratava-se, contudo, de um trabalho teórico. Mesmo assim, coloquei o trecho de Bloom como epígrafe do livro – que enviei a ele (nunca respondeu – nem sei se recebeu –, mas eu cumpri minha obrigação). Martel agiu de maneira diferente. No prefácio, em que agradece a muitas pessoas, atribui a "fagulha da vida" ("*the spark of life*") que o motivou a mim. Mas não entra em detalhes, não fala em *Max e os felinos*.

Nada se cria, tudo se copia, é um dito frequente nos meios acadêmicos. Escrevendo a respeito do incidente (prefiro este termo), Luis Fernando Verissimo observou que Shakespeare baseou numerosas obras em trabalhos de contemporâneos menores. Em realidade, não há escritor que não seja influenciado por outros – Bloom, a propósito, fala da "angústia da influência". Quando comecei a rabiscar meus primeiros textos, copiava descaradamente. Em redações escolares, transcrevi várias frases do *Cazuza*, de Viriato Correa, um livro que foi lido por várias gerações de crianças brasileiras. Mas isto, no começo. É um sinal de maturidade procurarmos andar com nossas próprias pernas. E também é um sinal de maturidade reconhecer, de forma explícita, a utilização do material de outros. Em trabalhos científicos isto é feito mediante citação bibliográfica. A transcrição também não pode ser extensa.

Essas coisas são levadas cada vez mais a sério, apesar de a noção de propriedade intelectual ser relativamente nova na história da humanidade. Tomemos, por exemplo, os trabalhos de Hipócrates, considerado o pai da medicina, e que viveu no século V a.C.. É difícil saber o que é realmente obra dele e o que foi escrito por seus discípulos. O nome Hipócrates era uma grife, uma gratuita *franchising*. Era livremente usado porque à época não havia direitos autorais. Em matéria de texto, isso surgiu com a indústria editorial, portanto em plena modernidade. Shakespeare ainda vivia uma fase de transição.

Uma ideia é uma propriedade intelectual. Isto não significa que não possa ser partilhada. Pode, sim, e frequentemente o é. Um editor propõe um mesmo tema para vários autores e faz uma antologia com os trabalhos: nada demais nisso. Um autor não está prejudicando o outro. É diferente da situação de um produto qualquer que é copiado, o que implica prejuízo para o produtor original – a pirataria. Usar a mesma ideia literária não chega a ser pirataria.

Depois de muito debate sobre o assunto o livro de Martel finalmente chegou-me às mãos. Li-o sem rancor; ao contrário, achei o texto bem-escrito e original. Ali estava a minha ideia, mas era com curiosidade que eu seguia a história; queria ver que rumo tomaria sua narrativa – boa narrativa, aliás, dotada de humor e imaginação. Ficou claro que nossas visões da ideia eram completamente diferentes. As associações que eu fiz são diferentes das que Martel faz.

Um náufrago num escaler diante de um jaguar – o que significaria aquilo para mim? Por que teria me ocorrido aquela imagem? É uma pergunta que pode se aplicar a qualquer obra de ficção (e a qualquer sonho, qualquer fantasia). E que admite dois tipos de resposta, em níveis diferentes. Um, mais profundo, e por conseguinte mais misterioso, diz que tais coisas se originam no inconsciente; são fantasias ligadas a traumas, cuja elaboração pode demandar muitas horas-divã. O outro tipo de explicação é aquele que ocorre ao próprio autor. Para mim o jaguar era a imagem de um poder absoluto e irracional. Como foi o poder do nazismo, por exemplo. Ou, numa escala bem menor, o poder da ditadura militar que se instalou no Brasil em 1964. Martel dá uma conotação diferente – religiosa – à imagem. E isto, presumo, deve ter reforçado nele a convicção de que não estava copiando, mas sim usando a ideia como ponto de partida.

***

Seja como for a história, teve desdobramentos surpreendentes. Nos dias que se seguiram, comecei a receber cartas, e-mails, telefonemas – e, sobretudo, pedidos de entrevistas de vários órgãos da imprensa. Não sou um autor desconhecido, mas certamente nenhum dos meus livros teve a repercussão alcançada por esse. E nenhum esteve envolvido em tanta confusão. Confusão esta que começou com a divulgação – extraoficial – do resultado do prêmio, num *site* da Internet, um "fiasco", na expressão do jornal londrino *The Guardian*, de 26 de outubro. Simultaneamente, vinha à luz a questão da ideia do livro. Em 27 de outubro, o próprio Yann Martel publicou no *The Sunday Times*, de Londres, um artigo que falava sobre o seu livro – e o meu. No domingo, 3 de novembro, *O Globo* publicou, em página inteira, a matéria para a qual eu tinha sido entrevistado. A jornalista Daniela Name lembrava: "*Max e os felinos* não é o primeiro romance brasileiro supostamente plagiado por um autor estrangeiro. Publicado em 1934, *A sucessora*, de Carolina Nabuco, gerou um debate literário quando *Rebecca*, da inglesa Daphne du Maurier, foi editado quatro anos depois". (*Rebecca*, aliás, foi adaptado para o cinema por Alfred Hitchcock.) Dois dias depois, apareceu um outro artigo, vastamente difundido pelas agências internacionais: aquele escrito para o *New York Times* pelo correspondente do jornal no Brasil, Larry Rohter, que me entrevistou por telefone. O título era: "Tiger in a Lifeboat, Panther in a Lifeboat: a Furor Over a Novel" (O tigre num bote, a pantera num bote: um escândalo sobre um romance). Depois de explicar aos leitores americanos como pronunciar meu nome (*Mo-uh-seer Skleer*), Rohter falava do sucedido, destacando que seu jornal jamais tinha publicado qualquer resenha de John Updike acerca de *Max and the Cats*. Também mencionava a reação da imprensa brasileira.

A isto seguiu-se a reação de um órgão da imprensa canadense, o *National Post*. A matéria publicada no dia

7 de novembro levava como título: "New chapter in a nation's rage toward Canada" (Um novo capítulo na raiva de uma nação [o Brasil] contra o Canadá). E o subtítulo, usando a aliteração de que os anglo-saxões tanto gostam, era muito significativo: "Beef, Bombardier, books". O texto procurava associar a questão dos livros com os episódios da proibição da importação da carne brasileira pelo Canadá (o "beef") supostamente por razões sanitárias, e a concorrência entre a brasileira Embraer e a canadense Bombardier para a venda de aviões. Ou seja: o assunto estava ultrapassando os limites da controvérsia literária. E difundia-se cada vez mais, como constatei, ao procurar descobrir na Internet o noticiário a respeito. Entrei no Google, digitei dois nomes, Yann Martel e Moacyr Scliar – e fiquei estarrecido: havia mais de quinhentos textos sobre o *affaire*. E os pedidos de entrevistas continuavam. No dia 15, cheguei aos Estados Unidos, onde deveria dar uma palestra em Amherst, Massachusetts. Em minha passagem (de menos de um dia) por Nova York, fui entrevistado por cinco órgãos de imprensa.

A pergunta que mais me faziam – e, nos Estados Unidos, faziam-me de forma insistente – dizia respeito a um processo judicial. Algo para o qual eu não tinha a menor disposição. Não só porque demandaria tempo e energia, como também porque minha atitude não era, e nem nunca foi, litigante. Como mencionei antes, se, ao tempo em que começou a escrever seu livro, Yann Martel tivesse entrado em contato comigo dizendo que queria aproveitar a ideia, eu teria concordado, e de bom grado. Ele não o fez, o que pode ser considerado inadequado – mas, ilegal? Eu relutava em ver a coisa dessa maneira. De modo que resolvi dar o assunto por encerrado – para decepção, não pude deixar de notar, de algumas pessoas, que gostariam de ver a briga continuar.

***

Algumas conclusões se podem tirar desse episódio, para o qual o adjetivo "bizarro" me ocorreu desde o início. É, de fato, uma coisa muito estranha. Há, nela, uma discussão objetiva sobre o que vem a ser, afinal, plágio. Objetiva porque há evidentes repercussões práticas nesta época de marcas, patentes e direitos autorais, mas nem por isso fácil de resolver. Mesmo que princípios gerais sejam fixados, cada caso será um caso e exigirá uma decisão, judicial ou não, independente.

A outra questão diz respeito aos famosos quinze minutos de fama, de que falava Andy Warhol. Um livro chega ao noticiário de duas maneiras. Pode ser através de uma artigo crítico ou de uma resenha. Mas, se for dessa maneira, pode-se ter certeza de que a repercussão será limitada. Barulho mesmo faz o *succès de scandale*. Que, diga-se desde logo, não afasta o mérito literário. Escândalo provocaram livros como *Madame Bovary*, de Flaubert, *L'Assommoir*, de Zola, e *Le diable au corps*, de Raymond Radiguet, para ficarmos só na França, onde se originou a expressão. E qual o mecanismo deste sucesso? É como se as pessoas dissessem, repetindo o *Eclesiastes*: há livros demais no mundo – acrescentando em seguida: deem-me um motivo para ler esse livro em particular. E, quanto mais picante, mais controverso for o motivo, melhor – e tanto maior a possibilidade dos quinze minutos de fama. Por coincidência, na mesma época da discussão sobre os livros, estourou o escândalo Winona Ryder: a atriz tinha sido surpreendida roubando roupas de uma loja. Não menos surpreendente foi o artigo aparecido em um jornal americano, dizendo que o julgamento seria benéfico para a carreira de uma atriz cujos últimos filmes, segundo o articulista, não haviam tido muito êxito. Pouco depois disso, um conhecido contou-me o sonho que tivera: sonhara que a história do plágio havia sido combinada entre Yann Martel e eu, para mútua promoção. Um sonho inteiramente explicável, na conjuntura em que vivemos. Livro depende de promoção – e a promoção depende, entre outras coisas, da visibilidade do autor. Isso explica o desaparecimento do pseudônimo, por exemplo. E explica as viagens *coast to coast* que os escritores americanos fazem, atravessando os Estados Unidos de um ponta a outra para falarem de seus livros em palestras e programas de tevê. É claro que qualquer coisa que chame a atenção para a obra, nestas circunstâncias, é bem-vinda.

Nem todos os escritores aceitam essa injunção. Lembro Rubem Fonseca recusando-se a falar sobre sua obra em uma mesa-redonda: "O que tenho a dizer está nos meus livros". Mas entre essa recusa e a aceitação total, às vezes até entusiástica, há um gradiente de possibilidades no qual os escritores vão se situando conforme sua disponibilidade, conforme seu temperamento, conforme sua capacidade de comunicação. Parte disso corresponde ao papel do escritor como intelectual: as pessoas esperam que quem sabe escrever saiba também falar e tenha ideias a transmitir.

O importante é não fazer um investimento emocional nesta fama passageira. O importante é não tentar repetir os quinze minutos. "Não há segundo ato nas vidas americanas", disse Scott Fitzgerald, e isso é válido especialmente para arte e literatura: depois que as cortinas do palco se fecham, elas não abrem mais. As pessoas que não acreditam, ou não querem acreditar nisso, entregam-se, não raro, às mais patéticas tentativas para fazer de novo brilhar, sobre si, os refletores do sucesso. Que têm um grande efeito: aquecem o ego. E não existe entidade que deseje ser mais aquecida, e massageada, e acarinhada, do que o ego. No passado, essa era uma exigência tímida, porque individualismo é uma coisa relativamente recente: pode ter existido sempre, mas criou força com a modernidade, e triunfa nesta época narcísica em que vivemos. O ego exige sucesso. Mas, como disse Clarice Lispector, numa carta a uma jovem que pretendia tornar-se escritora: "Quando você fizer sucesso, fique contentinha, mas não contentona. É preciso ter sempre uma simples humildade, tanto na vida como na literatura". Contentinha, mas não contentona: em quatro palavras, Clarice disse tudo, o que não é de admirar, em se tratando de uma grande escritora. É interessante, aliás, que tenha usado a expressão "contente", mas não "feliz". Não é a mesma coisa. Felicidade é uma coisa transcendente, imaterial. Contente é aquele que contém: sua carência foi preenchida com elogios, com tapinhas nas costas. No Brasil temos a expressão "o bloco dos contentes". Usa-se em geral para pessoas que, ligadas à administração pública, conseguem favores, privilégios, mordomias. O que as contenta vem de fora.

Literatura não é fonte de contentamento. Nem é coisa que possa ser feita pelo membro de um bloco. Ela é, essencialmente, um vício solitário. Isto não quer dizer que tenha de ser praticada numa isolada torre de marfim. A grande literatura inevitavelmente reflete o contexto social da época. Mas o faz como um sismógrafo, cuja agulha desloca-se como resposta a movimentos profundos. Espero que isso tenha acontecido, ao menos em parte, ao menos em pequena parte, com uma história chamada "Max e os felinos". Todo o resto, francamente, não tem muita importância.

Março de 2003

De trânsitos e de sobrevivências[1]

Zilá Bernd [2]

"Et sais que je suis un homme maintenant car je suis la plus dangereuse des bêtes."

Erri De Lucca, *Trois chevaux*

A presente comunicação tem como objetivo principal colocar em paralelo *Life of Pi – a novel* (2001), do escritor canadense Yann Martel (1963-)[3], e *Max e os felinos* (1981), do escritor gaúcho Moacyr Scliar (1937-2011). Não pretendemos retomar a polêmica instaurada pelas imprensas canadense e brasileira, no

---

1. Texto publicado na obra coletiva *O viajante transcultural: leituras da obra de Moacyr Scliar*, organizado por Regina Zilberman e Zilá Bernd. Porto Alegre: EDIPUCRS, 2004. Série Grandes Autores 1.

2. Doutora em Letras pela Universidade de São Paulo (USP) e pesquisadora nas áreas de Literatura Comparada e Literaturas francófonas das Américas, com pós-doutorado na Université de Montréal (Canadá) em 1990. É professora aposentada como titular da UFRGS e professora e orientadora convidada do PPG Letras/UFRGS. Uma das organizadoras de *Tributo a Moacyr Scliar* (EDIPUCRS, 2012), é também autora de *Literatura e identidade nacional* (Editora da UFRGS, 2011), entre outros.

3. Yann Martel foi o vencedor do Man Booker Prize de 2002, um dos mais prestigiosos prêmios literários conferidos pela Inglaterra. Foi também finalista para o prêmio do Governador Geral (Canadá) de melhor ficção e do Commonwealth Writers Prize de melhor livro do ano. *Life of Pi* está sendo traduzido para o francês pelos próprios pais de Yann Martel, que também são escritores e que vivem em Montreal.

final de 2002, relativa à acusação de plágio pelo autor brasileiro contra o canadense. O que nos interessará destacar aqui é a análise das convergências existentes entre as duas obras e as figuras da americanidade que elas agenciam. As temáticas da travessia do oceano, do naufrágio e dos sobreviventes adolescentes que chegam ao Novo Mundo reeditam os mitos de renovação constitutivos da americanidade. A travessia mimetiza a viagem inaugural de Cristóvão Colombo, os escaleres, que permitem aos adolescentes chegar respectivamente, ao Canadá e ao Brasil, simbolizam a arca de Noé, mito do recomeço e da restauração cíclica por excelência. Pretendemos destacar as metamorfoses das personagens durante a viagem e suas relações com os felinos (um tigre e um jaguar) que sobrevivem com eles e que simbolizam ao mesmo tempo as forças do subconsciente e a memória do passado que os imigrantes trazem consigo para a América.

Antes da travessia

No livro de Scliar, *Max e os felinos*, o jovem Max, sendo filho de um comerciante de peles, viveu em meio a todas as espécies de peles de animais: raposas, *visons*, castores, etc. A loja, *Ao tigre de Bengala*, era decorada com um tigre empalhado que seu pai havia caçado na Índia e que havia mandado empalhar. Desde a infância, Max temia este animal a tal ponto que chegava a ter pesadelos, embora se tratasse de um simples elemento de decoração. Ele ficou traumatizado pela ordem do pai que mandou-o ir, à noite e sozinho, buscar um jornal que havia esquecido na loja. O menino teve que atravessar o território do pai – a loja de peles –, enfrentar o mais poderoso dos carnívoros, o tigre de Bengala, para obedecer à sua ordem. Max ficou tão nervoso que chegou a ferir-se, regressando aos soluços à casa, após ter vivido uma traumática experiência que nunca mais esqueceria.

Alguns anos mais tarde, estando na universidade quando o regime nazista emerge na Alemanha, Max, que havia participado de manifestações antinazistas, tem que partir de Berlim às pressas, no primeiro navio, para não ser preso. O navio naufragará e o jovem conseguirá encontrar um lugar no pequeno escaler que posteriormente também seria ocupado por um jaguar, o mais terrível dos carnívoros, originário da América Latina. Se Max irá associar para o resto de sua vida a imagem do tigre empalhado sobre o armário ao autoritarismo do pai, o jaguar, a quem ele deverá alimentar durante toda a travessia para não ser devorado, permanecerá como uma reminiscência do autoritarismo político, representado pelo regime nazista que o obrigou a deixar sua família e seu país natal.

Em *Life of Pi – a novel*, Piscine Molitor Patel (conhecido pelo apelido Pi) terá, em Pondichéry, antiga capital de Cantão, na Índia francesa, uma experiência completamente diferente com animais, tendo vivido uma infância feliz em companhia de sua família, que era proprietária de um jardim zoológico. Passou sua infância cercado de animais selvagens (vivos e não empalhados) de toda espécie, os quais são minuciosamente descritos pelo autor, que revela profundos conhecimentos de zoologia. O menino herdará do pai a arte de apaziguar animais, sentindo-se muito à vontade em alimentá-los e em tratá-los, desde que era bem pequeno. Aprende com o pai que, em um zoológico, o animal mais perigoso é o homem... Um detalhe importante a ser destacado é que Piscine desenvolve, para além de seu interesse pela zoologia, uma grande curiosidade pelo estudo das religiões, querendo tornar-se ao mesmo tempo cristão, muçulmano e hindu, o que simbolicamente representa uma espécie de preparação e ou de presságio do multiculturalismo do Canadá, país para o qual seu pai decidiu imigrar.

É preciso também notar a habilidade de Yann Martel nas passagens dos poderes narrativos: o autor cede seu lugar de narrador a Piscine Patel, adulto que, vivendo em Toronto, conta a história de Pi, de sua fantástica travessia do oceano Pacífico, do naufrágio do barco no qual viajava em companhia de sua família e, finalmente, de sua permanência durante 227 dias em um barco salva-vidas com um tigre de Bengala.

"We'll sail like Columbus!" (*Life of Pi*, p. 97), ou – Vamos navegar como Colombo, disse o pai, em direção a um novo país, a uma vida nova, uma nova utopia. A venda do zoológico foi indispensável para que a família obtivesse os meios financeiros para recomeçar a vida na América. O *Tsimtsum*4, contendo parte dos animais vendidos a zoológicos dos Estados Unidos, além da família Patel, parte do porto de Madras, na Índia, em 1977.

---

4. Segundo a cabala, *Tsimtsum* ilustra a ideia de criação e da atividade de Deus.

A travessia

Enquanto Max atravessa o Atlântico para chegar ao Brasil, Pi faz a travessia do Pacífico para chegar às costas do México e depois à sua destinação final, o Canadá. As embarcações nas quais viajam naufragam, com o desaparecimento de todos os passageiros. Os únicos sobreviventes são os heróis Max (Scliar) e Pi (Martel), que conseguem salvar-se graças a precários botes salva-vidas cujo espaço exíguo será compartilhado com animais selvagens que viajavam nos porões dos navios e que também conseguiram sobreviver ao desastre.

Esse episódio nos remete ao texto bíblico da Arca de Noé (Gênesis, 6,17). Depois do dilúvio, Noé e sua família e um exemplar de cada espécie animal e vegetal permanecerão quarenta dias e quarenta noites na arca, à espera da descida das águas para recomeçar uma nova vida na terra. Será portanto somente após a passagem iniciática no interior da arca que eles estarão prontos para dar origem a uma nova forma de vida no planeta.

Os dois romances em questão, sendo textos emblemáticos da imigração para as Américas, reescrevem curiosamente essa famosa passagem do Gênesis, para representar simbolicamente o fato de que os imigrantes também vivem um ritual de iniciação, representado aqui pelo imaginário da travessia e do naufrágio, com a perda de seus bens e de suas referências, para chegar nus – como novas figurações de Adão – prestes a (re)começar um outro ciclo existencial.

É interessante notar nos dois textos a importância que os autores atribuem ao "trans" (prefixo inscrito em travessia), que remete à passagem ao outro lado e à saída de si mesmo. O oceano é o espaço intermediário, o entredois; os personagens aí permanecerão à deriva em um espaço-tempo suspenso onde enfrentarão seus próprios demônios, que são ficcionalizados por animais ferozes como o tigre, a zebra (de perna quebrada), o orangotango e a hiena, no caso de *Life of Pi*, e o jaguar, no caso de *Max e os felinos*. Ficando à deriva, os personagens permanecerão afastados de sua rota, perderão de vista as margens e serão levados ao sabor dos ventos e das correntes marítimas.

A passagem de um continente a outro, bem como o tempo em que ficaram à deriva constituem um espaço intersticial que não é mais o país natal nem o país de chegada. Tempo de fazer o luto da origem, segundo a bela expressão de Régine Robin, a experiência do estranhamento e de reconfigurar as utopias americanas. Durante a travessia, será preciso dar provas de coragem e de esperteza para assegurar a sobrevivência nesse entrelugar[5] instável e perigoso. Na esteira de Cristóvão Colombo, os personagens fazem a experiência da passagem do conhecido ao desconhecido, da civilização à barbárie e, assim como o conquistador de 1492, deverão enfrentar os monstros e os seres fantásticos que, segundo o imaginário

---

5. Para o conceito de entrelugar, ver texto de Nubia Hanciau: O conceito de entrelugar e as literaturas americanas no feminino, que será publicado em BERND, Z., org. *Americanidade e transferências culturais*. Porto Alegre: PPG-Letras/UFRGS & Movimento, 2003.

da época dos descobrimentos, povoavam o "mar tenebroso". O principal desafio que se apresenta aos personagens é o de ultrapassar as situações-limite a que são expostos e de se manterem vivos apesar das ameaças constantes das tempestades, das ondas e dos animais famintos a bordo. Ambos saem vencedores da experiência da perda, da solidão, da incerteza e do iminente risco de vida representado pela proximidade dos animais selvagens.

As técnicas da narrativa fantástica, tomadas de empréstimo do diário de bordo de Colombo, matriz textual incontestável desse procedimento estético, convidam os leitores a compartilhar a experiência insólita dos migrantes que, deixando para trás sua herança cultural, devem se confrontar com os fantasmas e os demônios de seu subconsciente antes de começar uma vida nova no país de adoção. Realizando ao mesmo tempo a ruptura (com o passado) e a ligação (com o porvir), os náufragos vivem no limite de sua resistência física e mental. Viver na fronteira de seus próprios limites produz efeitos curiosos: as ações dos animais e das feras se confundem; o real e a ficção são dificilmente distinguíveis. A necessidade de permanecer vivos mobiliza as forças dos náufragos, cuja única motivação é a sobrevivência.

A sobrevivência física é metáfora dos esforços que os migrantes devem fazer em sua nova vida para não deixar morrer sua memória e sua herança cultural. É interessante mencionar, aqui, a reflexão de Margaret Atwood relativa aos elementos que simbolizam e sintetizam certas nações. Segundo a autora canadense, as fronteiras simbolizam as Américas, enquanto a ilha seria a palavra-síntese para a Inglaterra, e sobrevivência, o verdadeiro símbolo centralizador para o Canadá (Atwood, 1987, p. 32). O tema da sobrevivência, presente durante toda a travessia do oceano, prefigura o esforço de sobreviver material e culturalmente em um país estrangeiro. Como destaca Atwood, "a sobrevivência poderia ser o vestígio de uma ordem antiga que se arranjaria para durar como faria o réptil de uma espécie primitiva" (p. 33).

A chegada ao Novo Mundo

No livro de Scliar, um lugar importante é reservado à chegada ao Brasil e à adaptação de Max ao novo contexto de Porto Alegre. Observa-se as metamorfoses do personagem que, no momento de deixar seu país, era ainda um adolescente e que, desde a chegada ao Brasil, revela um comportamento de adulto, pronto a tomar as decisões de instalação, busca de emprego etc. Apesar de suas esperanças em relação à nova terra, o herói começa a sentir-se perseguido: pensa que seus vizinhos o espionam e que uma onça o espreita, no bosque nas cercanias do sítio em que foi residir. Mesmo sabendo que as matas sul-rio-grandenses não são o *habitat* prefencial de onças-pintadas e que o vizinho alegue não possuir qualquer vinculação com partidos nazistas, ele não deixará de sentir-se observado.

Lembremos aqui as teses de Gérard Bouchard sobre as Américas como lugar e objeto de novas utopias. Ele constata o fracasso das grandes utopias americanas tais como o *melting pot*, a democracia racial brasileira entre outras, e reconhece um certo declínio (ou fadiga) "da americanidade como espaço de sonho e de substituição" (Bouchard, 2000, p. 182). O destino de Max prende-se de alguma forma a essa visão pessimista das Américas como espaço destinado ao fracasso e à morte das utopias, pois o personagem não chega a libertar-se dos fantasmas que o habitavam em Berlim. Somente muitos anos mais tarde, após ter tentado matar um suposto ex-membro do partido nazista e de ter purgado alguns anos de prisão, ele se sentirá verdadeira e finalmente "em paz com seus felinos" (Scliar, p. 116).

Se, na obra de Scliar, todo um capítulo é consagrado à chegada ao Brasil assim como às dificuldades do personagem em encontrar o seu lugar na sociedade de acolhida, na obra de Martel, o livro acaba no momento em que o náufrago chega à terra firme, se recupera em uma enfermaria e passa a narrar de dois diferentes modos suas inacreditáveis peripécias. Entretanto o leitor conhece desde o início que a adaptação, em Toronto, de Piscine Molitor Patel, ou Pi, foi muito bem sucedida, pois é ele próprio o (ou um dos) narrador(es) dessa insólita história. Sabe-se, por exemplo, que ele conseguiu concluir seus estudos em dois diferentes campos: em zoologia e em história das religiões, e que em sua casa encontram-se uma estátua de Ganesh, o que remete ao hinduísmo, religião praticada por sua família na Índia, uma Virgem de Guadalupe, o que remete à religião católica, e uma foto de Kaaba, figura sagrada do Islamismo. Ele está pois plenamente imerso no transcultural, e esta abertura às diferentes maneiras de relação com o mundo faz parte das estratégias de sobrevivência do personagem. Nesta narrativa cheia de humor e de *clin d'oeils* a várias narrativas orais extraídas de diferentes culturas, a mensagem subjacente remete incessantemente à tese segundo a qual se pode encontrar a(s) verdade(s) trilhando diferentes caminhos.

Em Scliar, as passagens transculturais são menos evidentes na medida em que Max leva um certo tempo para resolver seus conflitos existenciais; em Martel, as passagens transculturais são claramente apresentadas: o saber empírico sobre animais, que Pi trouxe de seu país natal, e que foi reatualizado durante a travessia, se transforma em saber científico com o recebimento do diploma universitário. Os diálogos iniciados na Índia sobre as diferentes propostas trazidas pelos diversos credos religiosos transformam-se em saber formal assegurado pelos meios acadêmicos frequentados no Canadá. O que se observa nos fenômenos da transcultura é que os distintos aportes culturais que entram em contato passam por processos de transmutação, dando origem a algo novo que permite ao imigrante tornar-se outro sem deixar de ser ele mesmo.

As figuras da americanidade

Os dois romances exploram as figuras e os mitos da americanidade na medida em que se constroem a partir de viagens, de passagens, de travessias e de migrações e, se projetam algumas distopias, prefiguram sobretudo utopias de recomeço e de renovação. Os dois personagens refazem a experiência de Cristóvão Colombo no que diz respeito à pulsão da viagem e da ultrapassagem do temor dos monstros que, segundo relatos orais, povoavam os oceanos e as terras de além-mar. Os animais selvagens são o outro lado dos personagens, e os diferentes relatos apresentados mostram também que em situação-limite – como a da luta pela sobrevivência – os homens podem comportar-se como as feras.

Esta interface homem/fera encontra-se encriptada nas duas obras: em *Max e os felinos*, lê-se em epígrafe uma citação de Francisco Macías Ngueme, ditador da Guiné Equatorial: "Medo, eu? O tigre não tem medo de ninguém... O tigre invisível. A minha alma". Em *Life of Pi – a novel*, o autor apela para a figura da personificação: o narrador fabrica uma segunda versão de sua narrativa, substituindo os animais por seres humanos: a hiena passa a ser o cozinheiro do navio naufragado, a zebra de perna quebrada, um dos marinheiros, o orangotango, a mãe de Pi, e o tigre é ora o próprio menino ora um ser humano cujo nome é Richard Park, com quem Pi dialoga durante a longa deriva pelo Pacífico.

Duas narrativas, isto é, duas possibilidades de representar os fatos são fornecidas aos primeiros que vêm socorrer os náufragos. No caso da obra de Yann Martel, os funcionários da companhia de seguros que vêm conhecer as circunstâncias do naufrágio do *Tsimtsum*, bem como as condições quase miraculosas da sobrevida de Pi, defrontam-se com dois diferentes relatos. Os entrevistadores que chegam à enfermaria Benito Juarez, em Tomatlán, no México, têm dificuldades para crer no relato, que consideram fantástico, segundo o qual o jovem Pi conseguiu sobreviver durante 227 dias em um escaler, em companhia de quatro animais selvagens que se entredevoram, sobrando no final apenas o tigre e o jovem. Diante da incredulidade dos entrevistadores, Pi apresenta-lhes sua segunda versão, segundo a qual ele conseguiu salvar-se em um barco salva-vidas com sua mãe, um marinheiro e o cozinheiro do *Tsimtsum*, os quais acabam por se entredevorar, devido ao longo tempo de permanência à deriva. Os funcionários acham essa segunda versão ainda mais terrível, pois se recusam a aceitar a prática do canibalismo, e consignam em seus relatórios a primeira versão.

Em *Max e os felinos*, o jovem fala do jaguar que lhe fez companhia após o naufrágio do *Germania* aos marinheiros de um navio que veio para resgatá-lo. Os marinheiros atribuem a história do jaguar à imaginação de Max, perturbado com a longa exposição ao sol, à solidão e à sua extrema fatiga.

Esse jogo de narrativas duplas assinala a impossibilidade, no espaço das Américas, da univocidade, das verdades e das certezas indiscutíveis. Os dois autores vislumbram o espaço americano como espaço de negociação do identitário e nos legam uma lição de fundamental importância: não existem fatos, só existem narrativas... Trata-se, de fato, de uma clara alusão à história das Américas, onde cada acontecimento tem ao menos duas versões: a dos colonizados e a dos colonizadores, a dos vencidos e a dos vencedores.

Como temos tentado mostrar, os dois livros se constroem a partir de um mesmo tema – um menino e uma fera tentando sobreviver em um barco à deriva –, a mais velha das ideias no mundo, segundo o dizer de Sarah Schmidt (*National Post*, 2002). Segundo a autora, esse núcleo narrativo emerge nos romances de Tarzan, de Edgar Rice Burroughs, e em outras tantas narrativas cuja enumeração seria fastidiosa, todas remontando ao mito bíblico da Arca de Noé. Os dois romances guardam, contudo, grande originalidade se forem lidos na perspectiva das transferências culturais, tentando-se interpretá-los como narrativas emblemáticas da imigração, e a seus personagens, como personificações do esforço de sobrevivência. A travessia do oceano se constitui no espaço intermediário que não é nem o novo horizonte, nem o abandono do que foi. A longa deriva sobre as ondas constitui o entrelugar – incontornável para os imigrantes – onde "presente e passado, interior e exterior, inclusão e exclusão se entrecruzam para produzir figuras complexas da diversidade e do identitário".

É nesse entrelugar aquático, instável e imprevisível, que se encenam as lutas dos heróis com seus próprios demônios, com o outro de si mesmos. A travessia, como rito de passagem, revela-se indispensável antes da chegada a um mundo que se construiu até então sem a sua colaboração.

Os dois personagens, depois de terem feito uma viagem abracadabrante[6], chegam ao que está por começar: uma nova vida na América. Parece que os escritores brasileiro e canadense reescrevem o poema – síntese da americanidade, que abre a antologia *L'homme rapaillé/O homem restolhado*, do poeta quebequense Gaston Miron. Eles também são de algum modo homens restolhados, pois vão – no contexto do Novo Mundo – recolher materiais já utilizados para lhes dar novas utilizações, assegurando assim a sobrevivência de vestígios e de fragmentos de suas memórias que salvaram-se do naufrágio. Miron empregou a expressão *rapaillé*, traduzida para o português por Flávio Aguiar por restolhado, "como símbolo da reconstrução do humano sob os escombros da colonização"[7], em um momento marcado por uma profunda crise das utopias e na esperança de poder redespertá-las.

Moacyr Scliar, no sul, e Yann Martel, no norte, ambos escritores americanos, sentiram necessidade de relançar o tema das utopias de renovação a partir do ponto de vista dos imigrantes, imbuídos certamente da mesma generosidade de despertar o sonho e a fantasia, essenciais aos humanos e função primordial da literatura. O apelo ao fantástico, que esconde um certo número de enigmas e de mistérios, foi a estratégia escolhida por ambos. Eles deixam a seus leitores a tarefa de penetrar no interior das narrativas para deco-

---

6. Alusão ao famoso poema que se encontra na abertura do antológico *L'homme rapaillé*.

7. Prefácio de Flávio Aguiar à edição brasileira de *O homem restolhado*, de Gaston Miron. São Paulo: Brasiliense, 1994, p. 7.

dificar as opacidades como, por exemplo, o nome que o personagem de Yann Martel atribui a si mesmo, Pi, diminutivo de Piscine, mas também décima sexta letra do alfabeto grego, que remete a *péripheria* (periferia) e designa a circunferência do círculo. Número estranho designado por uma letra, carregado de enigmas que desafiam a inteligência da humanidade desde a mais remota antiguidade.

Bibliografia:

Corpus:
MARTEL, Yann. *Life of Pi, a novel.* Vintage Canada, 2001.
SCLIAR, Moacyr. *Max e os felinos.* Porto Alegre: L&PM POCKET, 2001. (primeira edição, 1981)

Geral:
ATWOOD, Margaret. La survivance. In: *Essais sur la littérature canadienne.* Montréal: Boréal, 1987. p. 25-41. (original em inglês, 1972)

BERND, Zilá. Américanité: les transferts du concept. *Interfaces Brasil/Canadá.* Porto Alegre: ABECAN, 2002. n.2, p. 9-26.

BHABHA, Homi K. Disseminação, o tempo, a narrativa e as margens da nação moderna. In: *O local da cultura.* Belo Horizonte: UFMG, 1998. p. 198-238.

BÍBLIA SAGRADA. trad. Padre Antônio Pereira de Figueiredo. Edição Barsa, 1968. Impresso pela Catholic Press. p. 57. Gênesis 6,I 7; 6,I 8; 8,II; 8, I2; 9, 29.

BOUCHARD, Gérard. Le Québec, les Amériques et les petites nations: une nouvelle frontière pour l'utopie? In: Novvelle frontièrre pour l'utopie; CUCCIOLETTA et alii, éds. *Le grand récit des Amériques.* Editions IQRC, 2001. p. 179-190.

CHEVALIER, J. & GHEERBRANDT, A. *Dictionnaire des symboles*. Paris: Seghers, 1969.

COLOMB, Christophe. *La découverte de l'Amérique. I. Journal de bord 1492-1493*. Paris: La Découverte, 1991.

CUNHA, Rubelise. Yann Martel's Life of Pi, a novel (resenha). In: *Interfaces Brasil/Canadá*, n. 3, Porto Alegre: ABECAN, juin 2003.

MIRON, Gaston. *O homem restolhado*. São Paulo: Brasiliense, 1994. Trad. de *L'Homme rapaillé* por Flávio Aguiar.

MORENCY, Jean. *Le mythe américain dans les fictions d'Amérique; de Washington Irving à Jacques Poulin*. Québec: Nuit Blanche, 1994.

Artigos publicados em jornais e revistas sobre a polêmica Scliar/Martel:

BRAZILIAN author contends Canadian who won Booker Prize stole his plot. *National Post*, Canada, nov. 7, 2002.

A FRONTEIRA do que é original (entrevista). Porto Alegre, *Zero Hora*, Cadernos de Cultura, nov. 9, 2002, p. 2.

VERISSIMO, L.F. Copiando Scliar. Porto Alegre. *Zero Hora*, nov. 6, 2002, p. 3.

SCHMIDT, Sarah. Boy and beast on a boat: oldest idea in the world, *National Post*, Canada, nov. 9, 2002, p. A13.

SÓ um empréstimo? *Veja*, Nov. 6, 2002, p. 128.

MENDONÇA, Renato. Scliar inspira vencedor de prêmio literário. *Zero Hora*, nov. 11, 2002, p. 37.

Sobre o número Pi, site visitado em 14 de abril de 2003:
http://www.sciam.com/askexpert_question.cfm?article

MAX E OS FELINOS

O TIGRE SOBRE O ARMÁRIO

Envolvido com felinos Max sempre esteve, de um modo ou de outro.

Nascido em Berlim, em 1912, era filho de peleteiro e cresceu entre peles; e destas, as que mais apreciava eram as de leopardo, infelizmente raras na loja do pai, um pequeno estabelecimento situado num bairro não muito bem conceituado de Berlim. Ali vinham bater principalmente refugos: raposas de *pedigree* duvidoso, *minks* encontrados mortos sobre a neve, martas rejeitadas por outros peleteiros. E até mesmo – mas disto não se falava em família, era assunto tabu – o coelho tinha sua vez nos casacos vendidos às clientes mais tolas. Como negociante, e como pessoa, Hans Schmidt não era um tipo refinado. Atarracado como um urso, era veemente demais no exaltar a qualidade de sua mercadoria; ficava vermelho, berrava, salpicava de perdigotos a cara dos clientes; e em casa, entre uma colherada e outra da sopa ruidosamente sorvida, gabava-se à mulher e ao filho de já ter enganado muitos trouxas na vida. Ouviam-no em silêncio, Max e a mãe. Erna Schmidt era exatamente o oposto do marido, uma mulher pequena e tímida, sensível, não desprovida de certa cultura. Na adolescência, desejara ser declamadora; e à noite, em meio a confusos sonhos, recitava em voz alta versos de Goethe e de Schiller. O marido acordava-a a safanões: não posso dormir, gritava, por causa das tuas loucuras. Erna jamais reagia à brutalidade do marido; mas às vezes, enquanto estava contando uma história ao filho, interrompia-se de súbito e abraçava-se a ele aos prantos.

Tudo isto causava desgosto ao Max, que herdara da mãe a sensibilidade quase doentia. Tanto desgosto quanto prazer lhe traziam as peles. Desde criança habituara-se a procurar refúgio no depósito da loja, um aposento de dimensões reduzidas que recebia um pouco de luz e ventilação através de uma janelinha guarnecida de grossas barras de ferro. Naquele lugar Max sentia-se feliz. Gostava de enfiar o rosto nas peles, principalmente (e isto veio depois a se revelar irônico) nas de felino. Estremecia de esquisita emoção ao lembrar que aquela pele um dia recobrira o corpo de um elegante animal que correra pela África atrás de gazelas. Apenas o despojo do bicho? Sim. Para Max, contudo, era como se a fera estivesse ali, viva.

E havia o tigre, naturalmente, o que dava o nome à loja: *Ao Tigre de Bengala*. O animal tinha sido abatido pelo próprio Hans Schmidt, numa viagem que fizera à Índia com o Clube dos Caçadores – uma aventura cuja descrição produzia no menino Max excitação, claro, mas sobretudo um mal-estar quase intolerável. A Índia, nas grosseiras, jocosas palavras do pai, era um lugar sujo, cheio de nativos esqueléticos, os chamados intocáveis. Para ele a única coisa que valera a pena, na viagem, fora a caçada ao tigre, que descrevia com profusão de detalhes. Falava da floresta impenetrável, dos ruídos misteriosos da noite, da tensa expectativa com que os caçadores, encarapitados em plataformas sobre árvores, aguardavam o tigre. E de repente a fera surgindo na clareira, o tiro certeiro – o tiro dele, Hans Schmidt – e ali estava, sobre o armário, o bicho, empalhado. Excelente trabalho, aliás, fizera o empalhador. Deixara o couro quase intacto, a marca da bala mal sendo notada. Pela bocarra extraíra as vísceras, substituindo-as por estofo do melhor. Os olhos eram de vidro, mas perfeitos. A certa incidência de luz reluziam com um brilho feroz, o brilho que Max não via nos tigres do zoo, animais aliás velhos, conformados ao cativeiro.

Desde muito pequeno Max tinha medo do tigre, um medo que chegava a dar-lhe pesadelos. Acordava à noite gritando, para desespero da mãe, que, além de todos seus problemas, sofria de asma e conhecia os pavores da noite. Hans Schmidt zombava dos temores do filho e não perdia ocasião para espicaçá-lo: covarde, não passas de um covarde. Uma noite, após o jantar, ordenou-lhe que fosse à loja, buscar um jornal supostamente lá esquecido. Max, então com nove anos, levantou objeções – o frio intenso, a escuridão – mas o pai, irritado, disse que deixasse de ser medroso e que fosse de uma vez. Erna pôs-se a chorar, pediu ao marido que pelo amor de Deus não fizesse aquilo com a criança. Max assistia à discussão, sentado, hirto. De súbito levantou-se, e, sem nenhuma palavra, pegou o casaco e saiu. Ia para a loja.

Caminhou apressado por ruas desertas. Ao dobrar uma esquina, deu com um grande grupo de pessoas que avançava pelo meio da rua, carregando tochas e cantando hinos: uma passeata dos socialistas. Os manifestantes avançavam lentamente; um lhe fez sinal para que viesse também.

De repente, tropel de patas: policiais montados investiam contra os manifestantes, sabres desembainhados. Na confusão, Max viu um homem tombar, o crânio partido por uma espadeirada. Apavorado, correu para a loja, que ficava perto. Tremia tanto que mal conseguiu enfiar a chave na porta; finalmente entrou, escondeu-se atrás de um manequim e ali ficou, no escuro, os dentes chocalhando. Aos poucos, os gritos foram cessando. A rua ficou em silêncio.

Max mirava fixo o tigre. Ali estava ele, em cima de seu armário, os olhos – quando os faróis de um carro iluminavam o interior da loja – reluzindo com um brilho sinistro. Entre os dois, entre o menino e a fera, o balcão, e sobre este, o jornal. O jornal que Max jamais conseguiria alcançar; não, pelo menos, enquanto estivesse paralisado pelo medo, um medo como jamais sentira antes. Um medo humilhante e também uma surda e contida revolta. Para que precisava o pai do jornal? Que notícias tão importantes tinha de ler? Por que – e as lágrimas lhe corriam pelo rosto – era tão cruel com o filho, o único filho?

Uma ideia ocorreu-lhe: o quiosque da esquina talvez ainda estivesse aberto; e se comprasse o jornal lá? Mas não daria certo. Ao abrir a loja no dia seguinte Hans Schmidt descobriria o jornal sobre o balcão; seus comentários zombeteiros seriam então insuportáveis. Não. Tinha de vencer o medo, enfrentar o tigre, pegar o jornal, sair correndo – mas voltar para casa como se nada tivesse acontecido. *Está aqui o teu jornal, pai; mais alguma coisa?* Agarrado ao manequim, não conseguia, contudo, dar um passo. As pernas não lhe obedeciam.

O telefone tocou: provavelmente o pai, irritado com a demora dele (*o que estás fazendo aí? Cheirando as peles, maricas?*). Para, diabo, para, murmurava Max, aterrorizado, mas o telefone soava insistentemente, e ele então empurrou o manequim, correu para o jornal, tropeçou, caiu sobre o balcão. Os vidros se quebraram, cacos penetraram-lhe fundo na mão. A dor lancinante fê-lo gritar; mesmo assim, pegou o jornal e, sangrando abundantemente, voltou para casa. Ao vê-lo, a mãe começou a gritar histericamente. Não foi nada, disse Max, tentando acalmá-la. Ao pai, entregou o jornal tinto de sangue. O rosto aparvalhado deste homem foi a última coisa que viu antes de desmaiar.

Não, Max não gostava da loja, território do pai e do tigre de Bengala. Mas do depósito sim, gostava. Ao longo dos anos foi adquirindo o hábito de se refugiar ali para ler, coisa que Hans Schmidt considerava esquisita, mas que permitia ao filho – afinal era pai. No depósito, Max leu Andersen e Grimm, e, por insistência da mãe, Goethe e Schiller. Mas seus favoritos eram os relatos de viagem, a começar por uma coleção chamada *Aventuras do Pequeno Pedro*. Graças a estes livros, pitorescamente ilustrados, Max conheceu, por assim dizer, a África *(Kleine Peter geht nach Afrika)*, o Japão *(Kleine Peter geht nach Japan)*, e, evitando a Índia, cuja imagem o pai tinha devidamente destruído, chegou ao Brasil *(Kleine Peter... Brasilien)*, país que definitivamente o fascinou. Já na terceira ou quarta página uma ilustração mostrava o Pequeno Pedro em plena selva, olhando espantado, mas sem medo, para um grande felino (um jaguar, segundo o texto) que terminava de devorar um aborígene, o pé deste pendendo do canto da bocarra. Apesar deste banquete, ou justamente por causa dele, o jaguar tinha um ar benigno, bem-humorado até, muito diferente do tigre de Bengala; daí ter Max ficado com a impressão que o Brasil era um país alegre, feliz. Um dia pretendo conhecer este lugar tão encantador, escreveu em seu diário. Era um rapaz sem amigos, e o hábito de se refugiar no depósito de peles só favorecia sua tendência à solidão. No depósito fumou pela primeira vez; lá se masturbava, e lá teve sua primeira relação sexual.

Essa mulher, essa Frida, trabalhava na loja. Era a única empregada; mais não seria necessário, para o escasso movimento do estabelecimento. Era uma rapariga baixota, gordinha, risonha, palradora. Filha de camponeses do sul, estava longe de ser uma pessoa refinada. A Max contava anedotas picantes, numa linguagem chula, e desmanchava-se de rir vendo o rapaz corar.

Uma tarde, Hans tendo de sair, pediu à Frida que tomasse conta da loja. Vá descansado, patrão, ela disse, mas, tão logo o homem saiu, trancou a porta e correu para o depósito. Lá estava Max, como de costume, deitado sobre as peles, lendo.

Frida pôs-se a experimentar casacos, desfilando de um lado para outro – que dizes, Max? não pareço uma dama, Max? – rindo, piscando o olho. Max olhava-a de soslaio, perturbado. Ela ligou o rádio. Os acordes de um tango inundaram o depósito.

– Vem dançar.

Max resmungou qualquer coisa acerca de não saber dançar, mas ela puxou-o para si. Dançaram, rostos colados, Max sentindo a maciez da pele dela e ficando cada vez mais excitado. Por fim tombaram sobre as peles, os dois. Deixa comigo, ela sussurrou. Era experiente; tudo correu bem... Tudo correu bem. Quando Hans Schmidt chegou, Frida já estava de novo ao balcão, Max no depósito, o rosto ainda vermelho oculto atrás do livro; o tigre de Bengala, de cima de seu armário, mirava fixo como sempre.

No dia seguinte, contudo, despediu a empregada. Teria desconfiado de alguma coisa? Talvez. De qualquer modo, proibiu à moça voltar à loja; e a Max, advertiu que dali em diante evitasse qualquer contato com ela.

Max, porém, não podia esquecer aquela tarde no depósito... Sonhava com a rapariga, escrevia-lhe cartas apaixonadas – que logo destruía – e por fim, não aguentando mais, foi procurá-la em casa. Frida o recebeu sem rancor, risonha como se nada tivesse acontecido. Perguntou pelo pai, pela loja e até pelo tigre. Num impulso, abraçaram-se; fizeram amor no sofá da pequena sala, indiferentes à presença da tia dela, uma velha cega e surda, que, sentada numa cadeira de rodas, salmodiava velhas cantigas tirolesas. Depois, enquanto se arrumavam, Frida perguntou, num tom casual, se o casaco de raposa que estava no depósito já havia sido vendido. Max disse que não.

– Pois então – ela disse, olhando-o de modo estranho – na próxima vez em que me quiseres, vem com o casaco. Ou não vem.

Tarde, naquela noite, Max pegou a chave da loja, foi lá e roubou o casaco, o tigre de Bengala desta vez não lhe causando nenhum susto. Para que o pai de nada suspeitasse, arrancou com um pé de cabra a janelinha gradeada, espalhou peles por toda a loja; por último, não sem certo sentimento de vingança, atirou ao chão o tigre empalhado. Ainda que intrigado pelo fato de ter sido roubado apenas um casaco, Hans Schmidt ficou furioso. À mesa do almoço fez um comício diante da mulher e do filho; gritou que na Alemanha já não havia honestidade, que o país tinha se tornado um covil de ladrões e de esquerdistas.

À noite, Max correu a levar o casaco para a Frida. Ela ficou maravilhada:

– Tu fizeste isto por mim, Max!

Levou-o para o quarto, tiveram uma rápida e fogosa relação. Depois ela se levantou, nua, vestiu o casaco e desfilava diante do espelho, rindo. Max ficou excitado e quis uma segunda vez, mas ela o repeliu, subitamente irritada: chega, disse, é muita coisa por um casaco vagabundo destes. Max sentiu as faces arderem; sem uma palavra, vestiu-se, saiu.

Três dias depois, num sábado, ele e o pai caminhavam pelo centro da cidade, em direção à casa, quando de repente Hans Schmidt deteve-se. Houve alguma coisa? – perguntou Max, mas o pai não respondeu. *Para!* – berrou, saindo em desabalada correria em meio aos espantados transeuntes.

Era a Frida que ele perseguia. Max reconheceu-a pelo casaco de peles.

A caçada não durou muito: a mulher tropeçou, rolou pelo chão. Hans atirou-se nela, às bofetadas:

– Vagabunda! Ladra!

Frida defendia-se como podia. Max olhava, assustado, sem saber se intervinha ou não. Ela o viu, pediu socorro:

– Me salva, Max! Diz a ele que não fui eu que roubei o casaco! Diz, Max!

Max correu para o pai, tentou contê-lo – sem conseguir, o homem estava furioso. Mas já dois policiais se aproximavam. Separaram Hans e Frida, e, depois de um rápido interrogatório, levaram ambos para o distrito. A pequena multidão que se formara dispersou-se em meio a risos e comentários galhofeiros. Sem saber o que fazer, Max voltou para casa. O pai regressou à noite. Vinha com o casaco sob o braço, mas ultrajado: Frida fora solta, segundo ele, por ter amizades na polícia.

– Não há mais honra neste país, Max! A Alemanha está perdida! Podre, completamente podre.

Deixou-se cair numa cadeira, com um ar tão desamparado que Max, pela primeira vez, teve pena dele. Não era o autoritário, o brutal Hans Schmidt que estava ali sentado, a cabeça baixa, os ombros encurvados; era um homem perplexo e assustado, uma figura digna de piedade. Max aproximou-se dele, colocou-lhe a mão ao ombro. Sem saber exatamente o que dizer ofereceu-se para ajudar na loja: tu não precisas daquela mulher, pai; posso trabalhar contigo. Hans

Schmidt ergueu a cabeça, o brilho escarninho já de volta ao olhar:

– Tu, peleteiro? Nunca. És fino demais para essas coisas do comércio.

Logo em seguida, porém, se arrependeu. Não, meu filho, disse, melancólico, não quero que trabalhes nessa profissão desmoralizada, isto é coisa para judeus. Só me meti neste ramo porque não estudei, não sei fazer nada.

– Tu vais para a Universidade, Max – disse, pondo-se de pé. – Quero que sejas alguém. Um líder, como os que a Alemanha precisa.

Tal como o pai previra, Max revelou-se, na Universidade, um aluno extraordinariamente capaz. E de múltiplos interesses; no início do curso pensou em dedicar-se ao Direito, às ciências humanas, mas logo depois sua fascinação pelo exótico levou-o à área das ciências naturais. Começou a frequentar os laboratórios do Professor Kunz, famoso por seus estudos de psicologia animal – à época, uma especialidade relativamente nova. O Professor estudava o comportamento de gatos em situação de conflito. Colocava os animais em enormes labirintos, em que eram submetidos a constantes dilemas, um caminho levando a um pires de leite, outro a um feroz buldogue. Breve, dizia Kunz – homem atento ao desenrolar dos acontecimentos políticos e sociais –, estes experimentos terão grande valor prático.

(Mais tarde, já no fim da guerra, o Professor viria a ampliar o campo de suas experiências, trabalhando principalmente com ciganos. Num tipo de pesquisa, jovens ciganos, com microfones ao pescoço, eram jogados de aviões; esperava o Professor que na queda fornecessem os sujeitos, se não um depoimento, pelo menos alguma indicação – grito primevo ou outro – acerca do sentido da existência, grande preocupação do Professor naqueles dias em que os aliados já estavam às portas de Berlim, ele então querendo saber algo sobre a transição para a vida eterna. Expectativa frustrada: os ciganos despedaçavam-se no solo com um ruído seco, mas sem nenhum pio. Kunz, fones nos ouvidos, esperava ansiosa – e inutilmente – qualquer manifestação deles. Foi forçado a publicar os resultados negativos deste trabalho, procurando amenizá-los com uma complexa teoria sobre a relação entre o nomadismo dos ciganos e sua muda trajetória para a morte. Em seus carroções, dizia na conclusão, os zíngaros vagueiam em busca do aniquilamento, estando acostumados a fazê-lo em silêncio, razão pela qual a pesquisa fracassou. Encerrava sugerindo um caminho para futuros trabalhos no gênero: atirar em abismos ciganos e carroções.)

Max não acreditava muito nestas especulações, mas gostava do Professor, entre outras razões porque Kunz, como o *Kleine Peter*, percorrera inúmeros países exóticos, coletando espécimes para as experiências. No Brasil, por exemplo, vivera alguns anos; Max não se cansava de ouvir as pitorescas descrições que o Professor fazia das criaturas da selva tropical, as gigantescas borboletas, as curiosas preguiças, e sobretudo os misteriosos felinos. Um dia preciso conhecer esses lugares, suspirava. Tinha dezenove anos, então; era um rapaz de estatura média, magro, de rosto anguloso, uma expressão de desafio no olhar. Tinha bom gênio e no fundo se considerava um otimista; nisto diferia de seu colega e grande amigo, o Harald. Ambos tinham a mesma idade, eram fisicamente parecidos, usavam até o mesmo tipo de óculos de aro fino, dourado, e pensavam do mesmo modo em relação a muitos assuntos. Mas Harald era socialista – como o pai, que aliás participara na manifestação que Max vira quando fora buscar o jornal na loja; escapando então por um triz de morrer, ficara amargurado em relação às coisas da política e transmitira esta amargura ao filho. Harald acreditava na luta de classes, estava ligado a uma organização clandestina. Rios de sangue precisam correr, costumava dizer, para que possamos passar do reino da necessidade para o reino da liberdade. Apesar destas declarações bombásticas, reconhecia-se incapaz de matar uma mosca. Esperava que outros, mais corajosos, levassem a cabo esta dura tarefa, ele ajudando na medida de suas possibilidades, talvez escrevendo artigos. Ou poemas.

Max sentia-se bem. Voltara a se encontrar com Frida; ela, muito grata por Max tê-la defendido dos golpes do pai, mostrava-se especialmente carinhosa. Viam-se apenas uma vez por semana, e às escondidas, pois ela agora estava casada com um pequeno comerciante. Este homem, que Max conhecia de fotos, era nazista; às quintas, à noite (e era à noite que Frida recebia o Max), ia à reunião do Partido. Voltava de lá bêbado e eufórico, anunciando para breve a conquista do mundo pelo nazismo. Quer dominar o mundo, zombava Frida, mas na cama é um desastre. Max também ria dos nazis, achava-os ridículos. Harald, porém, alarmava-se: eles estão mostrando as garras e ninguém faz nada, Max.

Pobre Harald. Seu aspecto, naqueles dias, era verdadeiramente lamentável, a barba por fazer, o olhar alucinado. O problema dele é falta de mulher, disse Frida, a quem Max externara suas preocupações; não queres trazê-lo aqui? – perguntou, ar faceto. Max, enciumado, meio que se ofendeu, mas acabou achando que, de fato, Harald melhoraria se – o que nunca tinha acontecido até então – tivesse contato com mulher, especialmente com uma mulher boa e alegre, como a Frida. Fez com que Harald fosse à casa dela, mas a coisa terminou em desastre, o rapaz chorando e confessando-se impotente. A partir daí, piorou muito; uma noite, a mãe, com quem ele morava, telefonou a Max pedindo que viesse com urgência. Ele foi até lá e encontrou o amigo nu, acocorado atrás de uma poltrona, gritando que os nazistas iam invadir a casa.

Frida e Max tentaram ajudá-lo como podiam. Frida dava dinheiro, Max procurou tratamento psiquiátrico. Era difícil; o pai de Harald tendo sido um esquerdista bem conhecido e o rapaz gozando da mesma fama, nenhum psiquiatra queria se arriscar a cair em desgraça com os nazis. E Harald piorava dia a dia; recusava a alimentação, fazia as necessidades na cama.

Um dia recebeu um telefonema aflito de Frida: precisava falar-lhe com urgência. Vou já aí, disse Max.

– Não. Aqui não. Depois explico.

Marcaram encontro num pequeno restaurante nos arredores da cidade. Max chegou primeiro; logo depois veio Frida, o rosto oculto atrás de um pesado véu. Sentou-se, emborcou de um trago o cálice de conhaque que Max lhe ofereceu, foi direto ao assunto:

– A coisa está feia, Max. Precisas fugir.

– Fugir?

– Fugir.

O marido tinha descoberto a ligação dela com Max e Harald, denunciara os dois à polícia política. Harald, mesmo doente, fora detido e estava sendo interrogado.

– Agora estão atrás de ti, Max. Tens de fugir.

Ela já tinha providenciado tudo: fizera contato com o capitão de um cargueiro, homem de confiança. Max deveria seguir para Hamburgo.

– Mas quando?

– Hoje. Já.

Max olhava-a, incrédulo. A história parecia-lhe fantástica. Teria de deixar o país? Porque tinha um caso com Frida? Absurdo. Não cometera crime algum, quanto mais político. Que Harald tivesse sido detido, isto ele ainda admitia, e procuraria livrar o amigo (mais uma razão para ficar em Berlim). Mas a ele, prenderem? Por quê? Contudo, Frida estava tão angustiada que ele optou simplesmente por desconversar. Está bem, disse. Vou à minha casa, preparar as coisas...

– Não! – Frida agora estava transtornada. – Não faças isto, Max. Eles vão te pegar.

Ele tranquilizou-a como pôde, disse que ela não se preocupasse, que ele sabia o que estava fazendo. Saíram separados; ela tomou um táxi, ele foi de ônibus. Já era noite quando chegou à sua rua. A mãe o esperava na esquina. Pela expressão de seu rosto Max teve, de imediato, a certeza que Frida dissera a verdade: os nazis estavam atrás dele, de fato.

– Eles estão lá – disse a mãe, mal contendo os soluços. – Interrogaram o pai...

Pôs-se a chorar. Max abraçou-a. Não te preocupes, sussurrou, isto é tudo um mal-entendido, logo se esclarecerá, vais ver; tudo que tenho a fazer é desaparecer por uns tempos...

Ela enxugou as lágrimas, olhou-o, tentou sorrir. Vai, disse, vai com Deus. Abriu a bolsa, tirou um saquinho de veludo escuro.

– Aqui tens algum dinheiro. E as minhas joias. Sempre servirão de algo.

Beijaram-se. Max deu meia volta e afastou-se, apressado. Uma única vez olhou para trás e ali estava a mãe, imóvel em meio ao tênue nevoeiro. Foi a última vez que a viu.

De um telefone público ligou a Frida, pediu mais detalhes sobre o navio, a viagem. Ela explicou minuciosamente, tranquilizou-o: – Já te disse, o capitão é de confiança, é até meu parente, dentro de duas ou três semanas ele te deixará no porto de Santos, no Brasil.

Só então Max se deu conta que não perguntara para onde ia. Brasil? O país exótico? A ideia a princípio deu-lhe um entusiasmo quase infantil; logo depois sentiu-se à beira do pânico. Brasil? O que sabia desse lugar, desse Brasil? Muito pouco: só o que aprendera no livro do *Kleine Peter*. E as histórias que o Professor Kunz lhes contara. De resto, muitas dúvidas. Dúvidas quanto... aos nativos, por exemplo. O aspecto físico dos nativos. Compleição: altos, baixos, bem ou mal nutridos? Cor e textura dos cabelos. Cor dos olhos. Formato do crânio. Estado dos dentes. Hábitos, estranhos ou não. Ascendência: caucásica, mongol, outra? Idioma. Tradições. Venerariam algum deus em especial? Com que tipo de culto? Em que pé estaria a questão dos sacrifícios humanos? Quanto ao temperamento – seriam gentis? Loquazes, reservados? Prestativos, rebeldes? Tolerantes a estrangeiros?

Dúvidas quanto à forma de governo. Brasão de armas (descrição sumária sendo o bastante). Hino. Bandeira. Produção agrícola. Navegação de cabotagem. Prospecção de minérios. Transporte aéreo, terrestre, fluvial, lacustre. Moeda.

Dúvidas quanto ao clima. Seco, chuvoso? Ventos alísios presentes ou ausentes? Umidade relativa do ar. Que tal um ar saturado de umidade, a respiração tornando-se difícil, roupas e papéis encharcados, desfazendo-se?

Dúvidas – apesar das narrativas de Kunz – sobre flora e fauna. Verdadeiros, os boatos sobre a presença de grandes plantas carnívoras? Variedades de orquídeas. Felinos. *Felinos.*

– Alô! Alô, Max, estás me ouvindo? – Frida, impaciente. – Responde, Max.

Sim, disse Max, estou te ouvindo. Ainda bem, ela disse, pensei que tinham cortado a ligação.

Despedia-se, não podia falar mais; desejava a Max felicidades e pedia a Deus que um dia...

Adeus, disse Max. Pousou o telefone e dirigiu-se para a estação, onde tomou o trem para Hamburgo.

No porto de Hamburgo aguardava-o uma inquietante notícia: o navio que deveria levá-lo ao Brasil, o *Schiller*, acabara de zarpar. Indicaram-lhe um outro cargueiro, que tinha o mesmo destino. Max foi falar com o capitão.

Era um tipo muito sinistro, esse Capitão. Tinha longas barbas negras, e, como os antigos piratas, usava uma venda sobre um olho. Mirou Max com suspeição: sim, ia para Santos. Não, não transportava passageiros.

Max insistiu, ofereceu metade do que tinha em dinheiro, e, finalmente, toda a quantia. O Capitão terminou concordando.

– Mas vê bem – disse. – Não me responsabilizo por nada do que vier a te acontecer, ouviste?

Max imaginou que esta advertência tivesse caráter apenas formal; não podia prever o que viria a acontecer... Disse que estava bem, que estava pronto para o que desse e viesse. O Capitão levou-o a bordo, mostrou-lhe um estreito e abafado camarote.

– É o melhor que temos.

Max disse que estava bem. O *Germania* levantou ferros naquela mesma noite. Do tombadilho, Max viu as luzes de terra desaparecerem à distância. A sorte estava lançada.

Nos primeiros dias a bordo Max passou mal. A comida era péssima, ele enjoava; à noite não conseguia dormir, por causa do barulho das máquinas e de uns misteriosos ruídos – urros, guinchos. Era estranho, aquilo, mas não eram poucas as coisas estranhas no navio – os marinheiros, por exemplo, evitavam dirigir-lhe a palavra – e Max não estava na situação de fazer perguntas e muito menos de reclamar. De qualquer modo foi se acostumando, aos poucos, à vida de bordo.

Ao contrário do que o Capitão lhe tinha dito, não era o único passageiro a bordo; havia mais um, um italiano de meia idade, homem simpático e sorridente, que desfilava pelo convés como se estivesse passeando pela avenida de uma grande cidade: terno, gravata, bengala de castão de prata. Falava um mau alemão, o Sr. Ettore; apesar disto, Max passou a procurá-lo, depois que soube que o homem vivera no Brasil. Disse que para lá voltava depois de uma turnê pela Europa – era o diretor e o empresário de uma espécie de circo, ou zoológico. Os animais estavam no porão do navio (o que explicava os urros e guinchos que Max ouvia à noite). Aliás, a história de animais a bordo deixou Max apreensivo. Criou coragem, falou ao Capitão a respeito. O homem riu: perigo? Perigo correm os pobres bichos, nas mãos destes – mostrava os marinheiros – animais.

O *Signor* Ettore era um entusiasta a respeito do Brasil. Pode-se fazer muito dinheiro lá, garantia. Não foi o meu caso, apressava-se a acrescentar; mas isto porque (sorriso maroto) sempre gostei das coisas boas da vida: mulheres, jogo, bebida.

Apesar de toda a amabilidade do italiano, Max não se sentia inteiramente à vontade com ele.

Parecia-lhe que o *Signor* Ettore ocultava qualquer coisa a respeito de sua viagem, impressão reforçada pelo fato de tê-lo visto duas ou três vezes falando em voz baixa com o Capitão. Contudo, Max estava decidido a não se meter em encrencas; bastavam-lhe as que tivera. Tudo que pretendia era chegar ao Brasil e lá passar um ano, dois – o tempo suficiente para que os nazistas fossem alijados do poder – e então voltar à Alemanha e a uma vida normal junto aos pais e na Universidade. Imaginava o dia em que contaria aos amigos sobre a viagem no *Germania*; mas desejaria que tudo isso já fosse coisa do passado. A lembrança dos pais arrancava-lhe lágrimas, e, em lugar do diário, ele escrevia agora longas e sentidas cartas (quando poderia mandá-las?), com o que o tempo parecia-lhe passar mais depressa, a separação tornando-se menos penosa. Até do tigre sobre o armário Max agora tinha saudade; e se esperava revê-lo um dia era porque ainda não sabia o que estava por vir.

Uma noite Max acordou com a sensação de que algo anormal ocorria a bordo. Os animais estavam mais agitados do que de costume. Sentou na cama. Sim, alguma coisa estranha estava acontecendo: ouvia o ruído de passos apressados, um confuso vozerio. Vestiu-se rapidamente, saiu – e neste momento as luzes se apagaram. Na semiobscuridade via vultos correndo de um lado para outro. O que está acontecendo? – perguntou, mas ninguém lhe respondia. Dirigiu-se para o convés – e só então notou que o navio estava adernado, e que continuava adernando rapidamente. Capitão! – gritou. – Senhor Ettore! Ninguém lhe respondia; os marinheiros estavam atarefados em baixar os barcos salva-vidas. Só então Max se deu conta: o navio estava afundando. Os barcos desciam rapidamente, e logo não havia mais ninguém a bordo. Assustado, Max correu para a amurada:

– Não me deixem aqui!

Inútil: os barcos se afastavam rapidamente. Ah, traidores, berrou Max. De repente percebia tudo. O *Germania* jamais deveria chegar a seu destino, aquele naufrágio estava planejado desde o início. Agora estava tudo explicado, o estranho comportamento do Capitão e do italiano, suas conversas furtivas. O que queriam, decerto, era o seguro do velho navio – e também o dos animais. De quebra, o Capitão resolvera ficar também com o dinheiro dele, Max. Com certeza esperava que ele não vivesse para contar a história. Canalhas, rosnou Max – mas agora não podia perder tempo, o *Germania* afundaria em minutos. Correu à popa e ali – milagre – encontrou um pequeno escaler. A muito custo conseguiu baixá-lo ao mar. Tateando no escuro, encontrou um remo. Sabia que os navios, ao afundarem, criam redemoinhos capazes de arrastar para o abismo as pequenas embarcações; portanto remou, remou com todas as forças.

Ao clarear do dia viu-se sozinho na vastidão do oceano. Enorme angústia apossou-se dele; pôs-se a chorar desabaladamente. Que triste situação. Que triste vida. Infância não de todo feliz; adolescência atormentada; fuga precipitada da pátria e agora isso, o naufrágio! Era demais. Chorava, sim, chorava e se maldizia também: por que tivera de se meter com uma mulher casada? Com um esquerdista maluco? Não sabia ele que na certa as coisas terminariam mal?

Chorou muito. Por fim, enxugou os olhos e olhou ao redor, conformado: lágrimas de nada lhe adiantariam. Precisava dar um balanço na situação e decidir o que fazer.

O mar, liso, aliás liso como espelho, estava cheio de destroços do naufrágio – mas navio nenhum estava à vista, portanto poderia desistir de um resgate imediato; mais tarde, talvez, ou nos dias que se seguissem. Quanto ao escaler, era sólido e estava devidamente aparelhado para emergências: numa grande bolsa de oleado Max encontrou alimentos enlatados, vasilhas com água, utensílios de pesca, lanterna elétrica. O que reforçou as suspeitas de Max – coisa preparada, o naufrágio – mas lhe renovou as esperanças: tinha condições de sobreviver, tudo que precisava fazer era aguardar a passagem de um navio que o recolhesse.

Ao julgar que a falta de alimento era o principal risco que corria como náufrago, Max enganava-se de novo. Havia o sol.

Na tarde do segundo dia, Max já apresentava queimaduras sérias. Sentia-se tonto, com dor de cabeça; alarmado, deu-se conta que estava tendo alucinações: via montanhas no horizonte que se desfaziam quando ele esfregava os olhos; via ciclistas em uniforme branco pedalando sobre as ondas. E de repente ali estava o Harald, sentado à frente dele. Harald! – disse. Que surpresa, Harald! Conseguiste fugir, amigo! E no mesmo navio! E eu nem sabia que estavas a bordo!

A todas estas exclamações Harald respondia apenas com um magoado sorriso.

— Estás ressentido comigo, Harald? Pensas por acaso que te abandonei? Não te abandonei, Harald. Tive de fugir às pressas, só isso. Do meu pai nem pude me despedir; à minha mãe dei um adeus rápido. E sabe Deus quando voltarei a vê-los de novo, Harald... Vamos, Harald, não tens por que ficar zangado.

Harald em silêncio, sorrindo sempre, o vento agitando-lhe os cabelos.

— Por que não me respondes, Harald? Vamos, rapaz, fala comigo. Temos que discutir nossa situação... Traçar planos. Nossa sobrevivência depende disto. Fala, Harald! Diz alguma coisa!

Harald imóvel. E de repente o vento lhe levava os cabelos, expondo a calva; e logo era a pele que se desprendia, o rosto de Harald ficando reduzido a uma caveira sorridente. Max soltou um berro, estendeu a mão para o amigo; mas neste momento a visão se desfez e ele se viu de novo só no barco. Era outra alucinação; de novo, causada pelo sol. Precisava proteger-se, mas como? No barco não havia nada que pudesse usar para este fim.

Teve então uma ideia: improvisar uma espécie de cabana com os destroços do *Germania* que flutuavam a seu redor. Uma grande caixa de madeira, boiando a pequena distância, parecia adequada para isto. Com muito esforço, remou até lá.

Puxou a caixa para junto do barco. Examinou-a e constatou que tinha, na parte superior, uma tampa fechada por um cadeado que agora, quebrado, pendia frouxo. Max retirou-o.

Alguma coisa pulou de dentro da caixa, arremessando-o com força inaudita contra o chão do escaler. Max bateu com a cabeça, perdeu os sentidos.

Aos poucos foi se recuperando. Abriu os olhos.

O berro que soltou atroou os ares. Diante dele, sentado sobre o banco do escaler, estava um jaguar.

O JAGUAR NO ESCALER

Meu Deus, valei-me. Jesus Cristo, tem pena de mim. Pai, mãe, me acudam. Me acudam, por favor...

Os olhos fechados, as mãos aferradas às bordas do escaler, o corpo sacudido por violentos tremores, Max esperava pelo fim, que viria, primeiro, com um tremendo golpe da grande pata; logo em seguida a fera se atiraria sobre ele, lhe cravaria as presas no ventre, nos braços, nas coxas, arrancando postas de músculos, triturando ossos, ele morrendo em meio a sofrimentos atrozes... *Senhor, em tuas mãos entrego minha alma.*

Mas nada aconteceu. Segundos ou horas se passaram e nada acontecia. Lentamente, a medo, Max descerrou os olhos.

O jaguar continuava ali, imóvel, a fitá-lo.

Um felino enorme. Talvez não tão grande quanto o tigre empalhado da loja, mas bem grande, assim mesmo. Diferente, na coloração: amarelo-avermelhada, com manchas pretas. No primeiro momento Max chegara a confundir, mas reconhecia agora: o felídeo era mesmo um jaguar *(Panthera jaguarius)* – o que não representava nenhum consolo, ele estando diante da fera mais terrível das Américas (*Kleine Peter*; Kunz). Max não sabia a que atribuir o fato de o jaguar não tê-lo ainda devorado; àquela altura, nada mais deveria restar dele. Ossos sangrentos talvez. Um pé. Fragmentos do couro cabeludo.

No momento, contudo, o animal não parecia disposto a atacá-lo. Continuava imóvel, tranquilo, e até com certo ar de tédio.

Por que, Max não sabia. Pouco conhecia dos hábitos dos felinos; e mesmo que fosse um especialista nesta área, simplesmente não estava em condições de raciocinar. Talvez o animal não tivesse fome, naquele momento; talvez tivessem-no alimentado antes do naufrágio (para que, se estava destinado a morrer?). Talvez se sentisse inseguro, ali no frágil escaler; talvez tivesse medo do mar, tão diferente de seu habitat habitual. Talvez se sentisse grato a Max, seu salvador (ainda que a contragosto); talvez fosse um jaguar domesticado, um animal afeiçoado ao homem, dependente, submisso. Mas talvez fosse uma fera matreira, aparentando tranquilidade para, no momento oportuno, dar o bote com maior facilidade.

Max acalmou-se um pouco. A morte já não lhe parecia tão iminente; tinha tempo, poderia pensar em algo. Quem sabe se atirava ao mar e nadava até a caixa? Trocaria de lugar com o felino, perdendo, é claro, tudo que havia no escaler, todo o equipamento de sobrevivência, mas ganhando em troca uma chance de escapar. Com o rabo do olho mirava a caixa, avaliava a distância; não era muito, uns vinte metros. O que faria o jaguar se ele se levantasse de repente e se atirasse à água? Daria o bote decerto; mas conseguiria pegá-lo? Ainda no escaler? No ar? Poderia o jaguar persegui-lo no mar? E quem seria melhor nadador – Max, que ganhara uma medalha no colégio (cem metros, nado de peito, categoria infantil), ou um felino, a espécie sendo reconhecidamente avessa à água? Conjeturas inúteis: neste momento o vento soprou um pouco mais forte, a caixa oscilou, encheu-se de água e afundou.

Max sentiu que estava molhado. Tinha-se urinado. De medo. Uma coisa que nunca lhe acontecera antes, nem mesmo quando era criança, nas situações de maior pânico. Que humilhação. Max derramou mais algumas lágrimas, o jaguar fitando-o.

O sol começava a declinar e os dois continuavam frente a frente. Imóveis. Max estava incômodo, as costas lhe doíam – mas não ousava se mexer. Tudo que podia desejar é que uma embarcação aparecesse e o salvasse – mas não se atrevia sequer a olhar ao redor; a qualquer distração poderia a fera arremeter. Em dado momento pensou que um navio aparecendo poderia até ser pior; a menos que conseguissem abater o animal de longe, com um tiro certeiro como os de Hans Schmidt, ele seria o primeiro a pagar caso o jaguar se sentisse acuado. Navio? Não. Melhor não.

O jaguar soltou um rugido.

Não foi bem um rugido, foi uma espécie de miado rouco, mas tanto bastou para que Max, sobressaltado, quase caísse ao mar. Mal tinha se recuperado, o animal rosnou – novo susto – e escancarou a bocarra. A visão das enormes presas, das fauces vermelhas, em nada contribuiu para acalmar o pobre Max. O jaguar queria algo, quanto a isso não podia haver dúvida; mas o quê?

Comida, claro.

Só poderia ser isso. O animal, sem comer há várias horas, deveria estar faminto. Cabia a ele, Max (e a quem mais?), alimentá-lo. Mas como? E com quê?

Novo rosnado: Max tinha de agir depressa.

Cautelosamente – não fosse seu gesto ser mal interpretado pela fera – estendeu a mão, tirou um biscoito da bolsa de oleado e depositou-o no chão do barco, em frente ao jaguar. O felino apenas farejou o biscoito; nem sequer tocou-o. Não come estas coisas, concluiu Max, já suando frio. Claro, carnívoros comem carne, não biscoito. Mas, onde arranjar carne? Carne fresca, sangrenta, ao gosto de um jaguar feroz?

Os olhos sempre fitos no jaguar, Max apanhou uma linha de pescar (o anzol felizmente estando iscado) e jogou-o ao mar, rezando para que os peixes não tardassem a morder. Teve sorte: logo em seguida pegou um de regular tamanho, e, temeroso – como seria recebida esta nova oferenda? – colocou-o diante do jaguar.

O felino farejou o peixe, que ainda se mexia, agonizante. Matou-o com uma patada – uma cena de arrepiar – despedaçou-o com as garras e devorou as postas sanguinolentas (fugaz esperança de Max: vai se engasgar, vai se asfixiar – seguida de medo: mas antes de morrer, pode me matar – e de uma espécie de alívio: o jaguar parecia ter gostado do peixe, o que podia representar alguma garantia para quem, como Max, sempre se considerara pescador medíocre, incapaz de sobreviver se tivesse de depender para tanto desta antiga profissão).

Rapidamente – estaria no meio de um cardume em migração? – Max ia tirando peixes do mar: um verdadeiro prodígio, um milagre bíblico. Mas, com igual rapidez o jaguar os ia devorando.

De súbito, sentiu fome. *Fome*. A visão do animal comendo os peixes lhe despertara o apetite; dava-se conta agora que também ele não tinha comido. Tinha os biscoitos e outros mantimentos – mas o que tinha vontade de comer, uma absurda vontade de comer, era *peixe*. O peixe que ele, Max, pescara. Mesmo cru, queria o seu peixe. Nem que fosse para experimentar um pedacinho.

O jaguar agora parecia saciado; e ainda restavam, no fundo do barco, três peixes, estes pequenos. Será que ele poderia?...

Devagarinho, foi estendendo a mão.

O jaguar fitava-o, impassível.

Os dedos de Max progrediam uns milímetros, paravam; avançavam mais alguns milímetros, paravam de novo. Agora faltava pouco.

Repentinamente, o jaguar colocou a pata em cima dos peixes. De susto, Max chegou a cair para trás. Recompôs-se, ficou a olhar para o jaguar, ofegante, os olhos arregalados. Desculpe, murmurava. Desculpe, eu não queria.

De súbito, caiu em si. O que estava fazendo? Pedindo desculpas? O que entenderia o animal de suas desculpas? E depois – por que pedir desculpas? Quem tinha pescado os peixes, afinal? Não, nada de desculpas. Tinha direito aos peixes. Se não a todos, ao menos à metade. A dois, que fosse; a um. Direito tinha.

Roendo o duro biscoito que o jaguar desprezara, ficou a olhá-lo – e não com medo; com ressentimento, com raiva até. Carnívoro, sim; mas injusto, por quê? Grosseiro, por quê?

A noite caiu, uma noite escura, sem lua. Max mal divisava o vulto do jaguar. Estaria dormindo, a fera? Talvez; afinal, fora bem alimentada. E se estivesse dormindo, será quê?... Não, não estava tramando nada mas, para o futuro, precisava descobrir os hábitos de sono da fera, estudá-los cuidadosamente; poderia ser útil, este conhecimento. E se ainda não tinha planos, poderia pensar a respeito, na longa noite (nas longas noites?) que tinha pela frente.

Movendo-se com infinita cautela, Max apanhou a lanterna.

Hesitou ainda um instante – mas seja o que Deus quiser – e acendeu-a. O facho brilhou na escuridão – e ali estavam os olhos do jaguar, reluzindo, fitos nele. Estremeceu, apagou a lanterna e guardou-a.

Agora sabia: o jaguar não dormia. Não dormiria jamais, ele não poderia contar com seu sono para escapar. E escapar, como? Para onde?

Uma enorme depressão apoderou-se dele, uma tristeza avassaladora. Lembrou-se de novo do pai, da mãe, do conforto de sua cama em Berlim; deu-lhe uma vontade imensa de chorar, mas não chorou. Encolheu-se no fundo do barco e pôs-se a cantarolar baixinho a canção com que a mãe o embalava quando criança: *Guten Abend, Guten Nacht/Mit Rosen bedacht.* Não, não seria aquela uma boa noite, nem estava ele coberto de rosas. Contudo, acabou adormecendo.

Despertou sobressaltado. Por um instante não se deu conta de onde estava; logo em seguida, porém, lembrou-se: o naufrágio, o jaguar... Ali estava o felino, à sua frente, fitando-o. Bicho mau – pensou Max. – Bicho cruel, traiçoeiro. Bicho horrendo.

Não. Horrendo, não. Era até bonito, o jaguar. Imponente, o vulto recortado contra o céu que começava a clarear. Algoz? Sim, o jaguar o era. Mas para isso fora bem dotado pela natureza.

Max suspirou, sentou no banco. Coçando a cabeça, olhou o mar calmo. Seria um dia bonito, aquele. Um dia para passear de iate...

Uma rosnadela do jaguar trouxe-o de volta à realidade. Sobressaltado, mas não muito: agora já sabia o que fazer. Atirou o anzol ao mar; como no dia anterior, teve sorte, pegando de imediato vários peixes. Observou, com olhar mortiço, o felino a devorá-los, enquanto se indagava se aquela seria, dali por diante, sua rotina de vida: pescar para um jaguar, alimentar a fera. Triste prognóstico para quem um dia cursara a Universidade! Até quando teria de suportar tão absurda servidão?

O jaguar parou de comer e ergueu a cabeça, orelhas empinadas, rosnando baixinho. Max olhava-o, surpreso e assustado. O animal parecia ter farejado algum perigo. Mas qual, ali na imensidão deserta?

Logo descobriu. Uma barbatana triangular, emergindo da superfície do mar, deslocava-se velozmente em círculos, a uns cem metros do escaler.

Tubarão.

Atraía-o o cheiro de sangue dos peixes, sem dúvida. Mas, ousaria o tubarão atacar o barco? Se a bordo estava uma fera tão ou mais sanguinária que ele? Max, tremendo, esperava que não; e a presença do felino era, paradoxalmente, um conforto para ele, pobre náufrago. O jaguar era o perigo conhecido, com o qual poderia conviver, pelo menos enquanto tivesse êxito na pescaria; mas se o tubarão chegasse a virar a frágil embarcação, estaria perdido. Só lhe restava esperar que seu algoz o protegesse. Deslizou para o fundo do barco e ali ficou, espiando a medo por cima da amurada.

O tubarão continuava navegando em círculos. Aproximava-se cada vez mais, Max e o jaguar acompanhando-lhe os movimentos. De repente, atacou. Veio célere em direção ao escaler, abalroou-o – um choque terrível, que fez Max gritar de pavor – e logo em seguida a feia cabeçorra emergiu junto mesmo à borda do barco, para ser golpeada com força demolidora pela pata do jaguar. Nova investida do tubarão, novo golpe do jaguar – o barco oscilava violentamente, ameaçando virar a qualquer momento. Sem saber o que fazia, Max agarrou-se ao jaguar, tentando contê-lo; e já neste momento o tubarão se afastava, deixando na água um rastro de sangue. Logo tudo se aquietou.

Max continuava abraçado ao jaguar, tremendo. Sentia agora no rosto o áspero bigode, o bafo acre da fera. O que estou fazendo, murmurou horrorizado, o que estou fazendo?

Lentamente afrouxou o amplexo, voltou para seu banco. O jaguar mirou-o um instante. Depois, calmamente, voltou ao repasto interrompido. Max fechou os olhos.

(Uma súbita recordação. Estavam à mesa, o pai, a mãe, ele – então um garotinho de quatro anos. A empregada trouxe uma travessa com carne. O pai cortou um grande pedaço e pôs-se a mastigar ruidosamente. De repente, parou. Que foi, Hans? – perguntou a mãe. Ele não respondia, estava vermelho, apoplético. Que aconteceu? – insistia ela, alarmada. Ele pôs-se de pé num salto, virando a mesa e arrancando um grito de susto do pequeno Max.

– Eu já disse – berrou – que não quero cominho na carne! Não quero cominho, ouviste?

A mulher tentava acalmá-lo, ele empurrou-a com violência, ela caiu, arrastando-o na queda. Max correu para o pai – e quando deu por si estava aferrado, com todas as forças de seus bracinhos magros, ao pescoço dele. Queres me matar? – perguntou o pai, surpreso, e pôs-se a rir. A mãe, ainda caída, riu também. A empregada ria, todos riam, só Max chorava, chorava. Por que estás chorando, Max? – perguntava a empregada, já quase engasgada, e Max não respondia, e ainda que respondesse ela não ouviria, caída numa cadeira, desmanchada de riso.)

E se fosse um sonho, aquilo? E se não passasse de pesadelo, o jaguar? O jaguar e o naufrágio? O jaguar, o naufrágio, a fuga da Alemanha? Um pesadelo do jovem Max? Ou ainda, um pesadelo extraordinariamente longo e penoso do menino Max, enfim adormecido depois de um dia de intensas emoções (pai virando mesa, etc.)?

Um tênue nevoeiro agora os envolvia e dentro deles o jaguar era um vulto de contornos indistintos – poderia, mesmo, ser uma figura de sonho.

Como se adivinhasse seus pensamentos, o felino rosnou. Pesadelo? Talvez. Mas faminto. Max suspirou, voltou à pesca.

Bem, sonho talvez não – pensou Max no dia seguinte –, mas bem poderia ele estar sendo vítima de alguma forma de truque, de simulação. Chamava-lhe a atenção, sobretudo, a mecânica repetição na rotina da fera: rosnava, ganhava peixe; rosnava mais, ganhava mais. Mesmo sua reação a situações inusitadas – Max tentando apanhar o peixe, o tubarão atacando – resumia-se a estereotipados golpes de pata. Como se fosse um autômato.

Seria um autômato? Um jaguar-robô? A ideia não era tão absurda. Max conhecia brinquedos mecânicos de Nuremberg que imitavam à perfeição animais vivos. Mais: poderia ser um jaguar guiado por controle remoto, o que explicaria ainda melhor a luta com o tubarão, sem falar no salto da caixa para o escaler. De onde, porém, estaria sendo controlado este robô? De um submarino, talvez. Através de um periscópio, invisível a Max, um olho poderia estar neste momento a vigiá-lo, a registrar suas reações frente ao pseudojaguar. Mas, olho de quem? Quem o estaria submetendo a tão dura prova? Os nazistas? Mas com que propósito? De enlouquecê-lo? De matá-lo? Bobagem, já o teriam liquidado se quisessem. Mas, se aquilo tudo fosse uma experiência, como as do Professor Kunz em seu laboratório? Sim: um indivíduo jovem, culto e sensível é submetido a uma série de ocorrências traumáticas – história forjada que o obriga a sair do seu país, naufrágio simulado, convivência em escaler com o que ele julga ser um feroz jaguar; como reagirá este homem? Eis o objetivo da pesquisa, macabra, mas sem dúvida interessante (o aluno Max na certa ficaria fascinado). Talvez o falso jaguar oculte sob a bela pele um conjunto de instrumentos de registro e observação, os olhos sendo lentes de filmadoras, os ouvidos, microfones, e assim por diante.

A possibilidade de estar sendo usado, ainda que com propósitos científicos, encheu-o de fúria. Encarando de frente o jaguar, gritou, não lhe importava para que microfone:

– Pode me torturar até a morte, Professor! Jamais revelarei o sentido da vida!

O bicho olhou-o com uma expressão de tal genuíno assombro que Max se convenceu: não, não era um robô. Poderia, isto sim, ser um jaguar amestrado, condicionado para se mover no complexo labirinto de suas emoções, para lhe servir de *sparring* nesta luta pela sobrevivência; para maltratá-lo sem matá-lo, para levá-lo à exasperação, às últimas reservas psíquicas. Um experimento montado talvez pelo próprio Kunz. Ou, de comum acordo com as linhas de navegação, o próprio governo brasileiro, interessado em testar o sangue-frio dos imigrantes de vários países.

O sol começava a declinar. Que realizaste de útil neste dia? – era a pergunta que, segundo o mestre-escola do menino Max, as crianças deveriam se fazer ao crepúsculo. A quem ajudaste? Que objetos limpaste, ou poliste, ou consertaste, ou aperfeiçoaste? Que mão, e de que adulto, beijaste? A que vizinho, sorrindo, cumprimentaste? Que velhinha auxiliaste a atravessar a rua? Que dorso de gatinho, amoroso, acariciaste?

Não, o jaguar não parecia uma fera treinada. À mágica claridade daquele crepúsculo sobre o mar não parecia nem mesmo uma fera. Parecia um gato; de tamanho exagerado, decerto, mas de ar triste, desamparado. Max chegou a ter pena do bichano. Talvez eu pudesse domesticá-lo, pensou. Por que não? O felino não o tinha devorado até o momento – não seria aquilo evidência de um secreto desejo de submissão, de um tácito reconhecimento da supremacia do ser humano, rei, ainda que frágil, da criação, senhor (ainda que momentanea e compreensivelmente perturbado por trágicos acontecimentos) da terra e do mar, e principalmente do barco, construído pelo engenho e a arte de seus semelhantes? Afinal, tratava-se de animal previamente submetido ao cativeiro, ao chicote; acostumado a obedecer para ganhar alimento – e já que alimento ali ganhava, deveria, em tese pelo menos, estar pronto à obediência. *Submisso*, pensava Max, *serias de muita serventia, meu caro. Para começar, poderias usar as patas como remos, e teu instinto como bússola, para que chegássemos à terra, a esse Brasil que já nem sei se existe.*

E lá, no Brasil, poderia compor com o jaguar uma impressiva imagem de poder: que nativo resistiria ao homem com um jaguar na coleira? Qualquer empreendimento a que se lançasse – entreposto comercial na selva, plantação de borracha, mina de diamantes – estaria de antemão garantido.

Escurecia rapidamente. Se pretendia iniciar o trabalho de doma, tinha de começar de imediato. Pôs-se de pé e, sempre olhando para o felino, tirou o cinto, fê-lo estalar no ar.

– Atenção! Gato, atenção!

O jaguar arreganhou os dentes, rosnou.

Max pôs-se a tremer. Mais uma vez, pôs-se a tremer. Não conseguia se controlar, tremia tanto, o rei da criação *(velhaco! poltrão!)*, o senhor da terra e do mar *(verme desprezível!)* que o escaler oscilava; não a ponto de adernar, mas oscilava. Teve de sentar: calma, bichano, sussurrou, os olhos arregalados. Calma, está tudo bem.

Pegou os anzóis. Ainda havia luz suficiente para pegar uns peixinhos.

Naquela noite a pesca ainda rendeu alguma coisa, mas já no dia seguinte a sorte que até então o acompanhava sumiu. Max não conseguiu fisgar nada, nem sequer uma miserável sardinha. O jaguar dava mostras de crescente impaciência. Max abriu os enlatados que guardava para emergências. Surpreendentemente, o felino aceitou salsichas e até mesmo biscoitos. Era tal sua voracidade que a Max se lhe confrangeu o coração: naquele ritmo, breve se esgotariam as provisões. Que faria então?

Dois dias depois já não havia mais nada para comer. Nem Max tinha conseguido pescar qualquer coisa. Tonto, enfraquecido, Max olhou o jaguar.

– Acabou, diabo. Não temos mais nada.

Ele não tinha mais nada. Mas o jaguar...

Max já não tinha mais forças, sequer para pensar, quanto mais para se defender. Se o jaguar queria devorá-lo, que o fizesse de uma vez e terminasse logo com sua agonia. Agora nada mais lhe importava. Deitou no fundo do barco e nem sequer encomendou a alma a Deus: mergulhou num sono pesado, o sono mais profundo daquelas últimas semanas.

Sonhou que era de novo garotinho e estava em sua casa, em Berlim. Deitado na cama dos pais, aguardava a mãe, que fora às compras; sabia que ganharia um presente, e de fato ela chegou trazendo um grande gato de pelúcia. Apertou-o – e o gato emitiu, não um miado, mas um guincho estranho. Max riu, embora decepcionado: gato guinchando, o que era aquilo? E agora era a mãe que guinchava, guinchava repetidamente, e ele foi ficando cada vez mais nervoso; até que acordou.

Acordou, mas os guinchos continuavam. A custo, sentou-se – nem atentava para o jaguar, era como se o felino não existisse – e, ofuscado pela claridade, olhou ao redor.

Uma gaivota voava em torno ao barco, guinchando.

Uma gaivota – mas aquilo significava terra! A costa não poderia estar longe, então. E se de lá tinha vindo a solitária e graciosa gaivota, decerto para lá voltaria, tão logo se desse conta de que naquele barco, ao contrário de outros, nada havia para comer. E se a gaivota ia para a costa, tudo o que ele tinha a fazer era segui-la. Reuniu suas últimas forças, empunhou o remo.

– Vai, linda gaivota! – gritou, numa voz enrouquecida que até a ele assustou. – Volta para teu país, gaivota! Ao Brasil, vamos!

A gaivota, porém, não parecia ter pressa em regressar. Continuava voando em torno ao barco, guinchando, brincalhona. Por fim pousou na borda do escaler, junto mesmo ao jaguar.

O felino olhava-a. Max pressentiu o que ia acontecer – mas antes que pudesse gritar, foge, gaivota, foge do assassino, o jaguar golpeou. E pronto, já não havia mais gaivota alegre, havia uma pasta sangrenta que a fera devorava. Oh Deus, gemeu Max. Tinha chegado ao limite de sua resistência. Não suportava mais aquela situação, tinha que terminar com aquilo já. Nem que fosse ao preço de sua vida.

Pôs-se de pé, segurando o remo nas mãos crispadas. *Nem mais um minuto.* O jaguar ergueu a cabeça.

– Morre, demônio!

Atirou-se ao jaguar no mesmo instante em que este dava o bote. Chocaram-se no ar – e ele não viu mais nada.

Abriu os olhos. Rostos inclinavam-se sobre ele; rostos de desconhecidos, uns indiáticos, outros pretos, alguns brancos também. Miravam-no curiosos, falavam entre si num idioma que Max não conhecia, mas que adivinhou ser o português. Eram os brasileiros, aqueles. Brancos, mulatos, pretos, indiáticos... Os brasileiros! Max estava salvo, num navio brasileiro.

Tentou sentar-se, não lhe deixaram. Um marinheiro loiro adiantou-se, falou-lhe em alemão:

– Está melhor?

Max acenou que sim, com a cabeça. Onde estou? – perguntou. Num navio, ao largo da costa brasileira, disse o homem, e acrescentou, rindo: escapaste por pouco, *mein Freund*. Contou como o tinham encontrado: agarrado precariamente a um escaler virado, meio afogado. Max sentou, os olhos esbugalhados:

– E o jaguar? Onde está o jaguar?

Contiveram-no, fizeram-no deitar de novo. O marinheiro disse qualquer coisa aos companheiros. Max adivinhou: *está delirando, fala coisas malucas, deve ser do sol, da sede*. Trouxeram-lhe água. Bebeu sôfrego, engasgando-se, tossindo. Mais? – perguntavam em português, e ele, deduzindo o que diziam (não é tão difícil!) respondia *mais, mais*, encantado com sua primeira palavra no novo idioma, encantado com a água brasileira, com os brasileirinhos que o rodeavam. Do jaguar, nem mais se lembrava.

Os dias que se seguiram escoaram-se em agradável rotina. Primeiro na pequena enfermaria do navio, depois no convés, numa cadeira preguiçosa, tudo que Max tinha de fazer era descansar e se alimentar, de acordo com as paternais instruções do comandante, que, como de resto toda a tripulação, tinha atenções especiais para com o seu náufrago. Quando chegaram ao destino final do barco, a cidade de Porto Alegre, Max já estava recuperado. Aqui você pode começar vida nova, disse o cozinheiro de bordo, um baiano gordo.

Vida nova, aquilo não seria fácil, pensou Max, olhando a cidade antes de desembarcar. Alguns passos (pequenos, decerto) já dera: ao comandante vendera seu relógio de pulso, de ouro, obtendo dinheiro suficiente para as primeiras semanas em Porto Alegre (contava ainda com as joias da mãe, que durante todo aquele tempo conservara num saquitel preso ao pescoço). Por outro lado, o comandante indicara-lhe a pensão de uma senhora alemã, onde ele se poderia fazer entender até aprender a língua. Por enquanto, as coisas estavam resolvidas. Depois, estaria tudo nas mãos de Deus.

Max gostou de Porto Alegre; parecia-lhe um burgo europeu, principalmente por causa do bairro onde morava, a Floresta, com suas confeitarias e pitorescas lojinhas. É verdade que depois descobriu mendigos, e as malocas do Partenon, mas isto não chegou a estragar a imagem que tinha da cidade. Gostava especialmente da paisagem que se descortinava de sua janela; a pensão ficando num lugar elevado, ele dali avistava os telhados das casinhas da Floresta; e poderia, se fosse indiscreto, olhar através das janelas abertas o que faziam os moradores da vizinhança. Mas não queria espionar ninguém, não queria se envolver em complicações. Tudo que olhava eram os telhados, os gatos dormitando ao sol; e, se se detinha a observar uma criança brincando no quintal, era talvez por causa da natural ternura pela infância, que não queria sufocar dentro de si.

Nos primeiros tempos quase não saía de seu quarto, aliás muito agradável: grande, limpo, ensolarado. Recomeçou um diário, a partir do episódio do jaguar, cujos detalhes evocava com dificuldade cada vez maior (a ponto de se perguntar se não teria sido mesmo tudo delírio).

Aos poucos, foi deixando seu refúgio, de início para passeios na vizinhança; depois, dedicou-se a conhecer a cidade. Descobria, no abrigo dos bondes, no Chalé da Praça Quinze, no Mercado, na Galeria Chaves, locais interessantes, frequentados por tipos os mais diversos de porto-alegrenses. Tomava bondes, ia aos fins de linha, descia e caminhava pelo arrabalde, a Glória, o Menino Deus, o Partenon. Queria aprender logo o português, e para isto estava tomando aulas com a filha da dona da pensão, uma mocinha loira e tímida, de ar sonhador, chamada Elisabeth. A presença dela perturbava Max tanto mais que sentia que ela também ficava perturbada perto dele. Quando os joelhos se tocavam sob a mesa, coravam e riam para disfarçar o embaraço. Depois riam, um risinho nervoso, e depois ficavam um pouco em silêncio; e depois suspiravam; mas acabavam voltando ao texto de José de Alencar. Será que ela gosta de mim? – perguntava-se Max. – Será possível alguma coisa entre nós?

Não tinha resposta para estas perguntas, nem para outras. Na verdade, era-lhe difícil pensar em qualquer coisa que não o doloroso passado. Muitas vezes chorava, lembrando os pais. Gostaria de escrever-lhes, contando que, apesar da fuga precipitada, tudo estava bem; que estava vivendo num país de gente amável, e que se sentia feliz, ou quase feliz. Mas não se atrevia a mandar a carta, que poderia complicar a situação dos pais; pelo que entendia da leitura dos jornais, o regime nazista estava cada vez mais firme, mais arrogante, mais prepotente com os adversários, reais ou supostos. Sobre isto não falava nem com a dona da pensão nem com sua filha; não sabia o que pensavam a respeito, não queria criar situações embaraçosas. De resto tinha outros problemas a enfrentar: o dinheiro da venda do relógio estava terminando, apesar da vida modesta que levava. Não conseguia arranjar emprego: mal falava a língua do país e, pior, não sabia fazer nada. Chegou a conseguir colocação numa floricultura; era um trabalho agradável, mas o dono precisava de alguém mais prático e despachado; acabou mandando-o embora. Finalmente, teve de cogitar da venda das joias que a mãe lhe dera. Durante todo aquele tempo ele as conservara no saquitel, preso ao pescoço. Relutou muito em tomar a dolorosa decisão; na verdade, esperava devolver à mãe suas joias, em meio a beijos e lágrimas de alegria. Mas o aluguel da pensão já estava atrasado, o pagamento das aulas também, a situação tornava-se penosa. No *Correio do Povo* viu um pequeno anúncio: compravam joias, ouro, antiguidades. Foi lá. Era um casarão nas imediações da Voluntários da Pátria – de aspecto tão sinistro que Max esteve a ponto de desistir da venda e voltar para casa. Contudo precisava resolver de uma vez o assunto do dinheiro; assim, reuniu coragem e bateu à porta. Um velho enrolado num comprido capote preto atendeu, mirou-o com desconfiança e por fim fê-lo entrar. Levou-o a uma sala mal-iluminada, de cujas paredes úmidas e manchadas pendiam retratos de anciãos de barbas brancas e matronas de chale na cabeça: judeus, identificou Max.

Com uma lente, o negociante examinou demoradamente as joias. O preço que ofereceu – Max, que tinha andado por joalherias, sabia-o – era muito inferior ao que se estava pedindo por joias similares e até inferiores em qualidade. O sangue subiu-lhe à cabeça. Raça sórdida, mesquinha. Nesse ponto, ao menos, Hitler tinha razão: o mundo nada perderia se ficasse livre daqueles tipos sórdidos. Não se conteve:

– Eu deveria saber – disse, exaltado – que não se poderia esperar outra coisa de um judeu.

Com dedos trêmulos, juntou as joias, o velho observando-o em silêncio. Levantou-se, dirigiu-se para a porta.

– Um momento, *herr* Max – disse o velho, em alemão. – Ainda não terminamos o negócio. Sente-se.

Max hesitou, contrafeito, mas acabou sentando.

– Vamos nos entregar – prosseguiu o homem – à antiga arte da barganha, ainda desconhecida neste país. Vejamos: eu lhe ofereci pouco, não é?

Max não atinava onde o homem queria chegar.

– Pouco, não é? – insistiu o velho.

– É – admitiu Max, inquieto.

– Pois então diga: "é pouco".

Max olhava-o, perplexo.

– Diga! – comandou o velho.

– "É pouco" – disse Max.

– "Estas joias são de estimação..."

– "Estas joias são de estimação..."

— "Quero mais."

— "Quero mais." — Max pôs-se de pé. — Escute, o senhor pensa—

— Não penso nada — disse o negociante, seco. — Ouvi o que o senhor disse: é pouco, as joias são de estimação, quero mais. Bem: ofereço-lhe o dobro.

Max olhava-o boquiaberto.

— O triplo. Está bem? O triplo?

Agora, era muito mais do que Max esperava; boquiaberto, não sabia o que dizer.

— Está satisfeito? — perguntou o negociante. Como Max não respondesse, insistiu: — Está satisfeito?

— Estou — murmurou Max.

— Mais alto, por favor.

— Sim! — gritou Max. — Estou satisfeito.

O homem contou o dinheiro.

— Confira.

— Não precisa...

— Confira. Não se deve confiar em ninguém. O senhor já deveria saber isto.

Max conferiu o dinheiro, guardou-o.

— Nenhuma reclamação — perguntou o velho — a respeito da transação?

— Nenhuma — disse Max, sombrio.

— E o senhor se importa — um pálido sorriso iluminou o rosto enrugado — se eu ganhar algum dinheiro na venda das joias que o senhor estimava tanto?

— Não — disse Max.

— Cem por cento? Não se importa? Duzentos por cento? Não?

— Não.

— Bom – disse o velho levantando-se. – Então vá, senhor Max. E cuidado com seu dinheiro.

Ainda aturdido, Max saiu. Na rua, teve um súbito ataque de fúria, deu-lhe vontade de voltar, de atirar o dinheiro na cara do homem. Mas já estava suficientemente humilhado. Além disto, o volumoso bolo de notas nos bolsos começava agora a dar-lhe uma agradável sensação: estava rico! Tinha capital suficiente para abrir um negócio de médio porte, algo talvez requintado, como uma livraria ou uma galeria de arte; ou poderia adquirir imóveis e viver da renda dos mesmos, destinando todo seu tempo ao estudo e à pesquisa. Ou poderia investir o dinheiro em títulos, ações, ficando cada vez mais rico – afinal, como dissera o *signor* Ettore, o Brasil era um país para se enriquecer rápido. Sim, as perspectivas eram ótimas, e, para comemorar, decidiu convidar a dona da pensão e sua filha para jantar fora. Foi uma noite alegre; escolheram um restaurante pequeno e acolhedor, com uma pianista sorridente. A comida era ótima, o vinho excelente. Brindaram várias vezes ao futuro, Max e a moça trocando ternos olhares, cada vez que erguiam os cálices. Max disse que pretendia voltar à Alemanha e que levaria as duas para conhecer seus pais. A dona da pensão, mulher habitualmente reservada, mostrava-se animada e até cantou, acompanhada pelo pianista.

Naquela noite Max teve um sonho.

Estava em Berlim, num teatro a que a mãe costumava levá-lo quando era criança. Era o único espectador e aguardava, impaciente, que a peça começasse.

A cortina se abriu, um grotesco anão apareceu e anunciou que seria executada a ópera *Parsifal*, de Wagner. Logo após surgiu o pai, ridiculamente maquilado e envolto numa longa túnica; abriu os braços, como se fosse cantar, mas em vez disto, pôs-se a miar como um gato. Que vergonha, pensava Max, as lágrimas lhe correndo pelo rosto. Desejaria que o pai parasse de uma vez com aquilo, mas não, ele miava, miava sem parar – até que Max acordou.

Os miados continuavam. Como a gaivota no escaler, pensou Max (mas teria realmente havido gaivota?). Olhou o relógio: passavam vinte minutos da meia-noite. Levantou-se, foi até a janela.

Não conseguiu ver o gato. Entretanto ele estava ali, miando forte – provavelmente no pátio da casa vizinha. Sai, gritou Max – um grito meio contido, porque na realidade ele estava envergonhado da situação, até certo ponto ridícula. – Sai!

O gato continuava a miar. Max repetiu a ordem, em alemão: nada. Irritado, ele pegou no primeiro objeto a seu alcance – o sapato – e atirou-o no quintal. Os miados cessaram um instante e logo recomeçaram.

Max voltou para a cama, enfiou a cabeça debaixo do travesseiro. Inútil: os miados ressoavam ali como numa caverna. E não adiantava tapar os ouvidos, não adiantava cantarolar: continuava ouvindo o infernal felino, lamentoso como uma criança abandonada. Max acabou adormecendo de puro cansaço.

No dia seguinte levantou-se mal-humorado e com dor de cabeça. O pior de tudo, porém, é que não tinha sapato para pôr; olhando pela janela, via-o no quintal do vizinho, meio afundado numa poça d'água: chovia a cântaros. Não poderia ir lá buscar o sapato, evidentemente. Optou por sair e comprar outro par. O que é que houve, *Herr* Max? – perguntou a dona da pensão, ao vê-lo de chinelos. Os sapatos estão me machucando, ele disse, vou comprar outros. E escapou, antes que ela fizesse outras perguntas.

Os miados repetiram-se naquela noite e na seguinte – mas Max já estava preparado: comprara de um garoto da vizinhança um estilingue, armazenara uma boa coleção de seixos de vários tamanhos, e agora estava disposto a caçar o gato onde quer que ele estivesse, mesmo sob o risco de quebrar telhas ou vidraças. Foi até com impaciência que aguardou a serenata do felino; tão logo ela começou, saltou da cama, abriu a janela de par em par. O que viu, pela janela aberta da casa vizinha, fê-lo esquecer o gato e seus miados.

Um homem olhava-se ao espelho.

Nada de mais, um homem se olhando ao espelho. Não fosse a roupa que ele vestia, a camisa parda, a gravata preta, as botas de cano alto. Max conhecia muito bem tal vestimenta; não bastasse isso, o homem ainda usava uma braçadeira na qual Max identificou a suástica. Sozinho no quarto e não podendo imaginar que àquela hora, duas da madrugada, alguém o estaria observando, o homem entregava-se a uma curiosa pantomima: erguia o braço direito; logo em seguida punha-se a gesticular, como se estivesse discursando para uma multidão; depois aproximava-se do espelho e sorria, sedutor. Lá pelas tantas, aparentemente cansado da encenação, bocejou, tirou a roupa, guardou-a cuidadosamente no armário, vestiu um pijama. A luz se apagou e Max não viu mais nada.

Fechou a janela, sentou na beira da cama. Os miados do gato agora tinham cessado, mas ele não conseguiria dormir – não depois do que tinha visto.

Um nazista em Porto Alegre. Um nazista nas vizinhanças. Um nazista... Um só? Um ele tinha visto. E quantos haveria no bairro? Na cidade? No Brasil, que antes lhe parecera um país paradisíaco e que agora se revelava tão ameaçador?

Conseguiu, apesar de tudo, se controlar. *Calma, Max, calma. Nenhum nazista está te vigiando. Tu é que estás vigiando um nazista.* E seria mesmo um nazista? O que ele vira fora um homem usando uniforme nazista – e fazendo gestos grotescos – mas isto não queria dizer que ele fosse mesmo um nazista. Poderia ser alguém com uma atração oculta, não confessada, pelo nazismo; alguém que aproveitava a calada da noite para viver suas fantasias.

Passou a observar a casa. Viu o homem várias vezes, mas nunca em uniforme; ora ele era o pai carinhoso, que contava histórias aos filhos (quatro, o mais velho tendo uns dez anos); ora o esposo gentil, que trazia flores à esposa; ora o filho extremoso que recebia os velhos pais para jantar, abrindo na ocasião uma garrafa de vinho e brindando à saúde de todos; ora o amigo divertido que convidava os colegas de trabalho para um churrasco no quintal. Às vezes trabalhava no jardim, às vezes brincava com o cachorro, às vezes (domingos, em geral) dormitava na rede, armada entre duas árvores copadas. Enfim, não parecia em nada diferente de outros vizinhos, aquele homem de estatura média e fisionomia absolutamente comum. Max chegou a duvidar do que tinha visto. Mais uma vez se perguntava se não estaria sendo vítima de alucinações, ou se não teria sido um sonho, dos vários que o atormentavam desde a infância. Resolveu esquecer, não mais olhar pela janela à noite (ainda que o gato continuasse miando sem parar). Prudente era dormir. Tomava pílulas para isto.

Ao cabo de algumas semanas tinha esquecido (ou quase) o episódio, e se julgava tranquilo. Mas aí tudo mudou de novo.

Um dia teve de ir ao centro da cidade. Tinha uma entrevista marcada com um corretor de valores, parente da dona da pensão, e por esta recomendado como pessoa honesta e capaz. Max pretendia inteirar-se das possibilidades do mercado para investimentos; estava ansioso por desenvolver alguma atividade, e além do mais não podia deixar o dinheiro parado.

Ao caminhar pela Rua da Praia, teve sua atenção despertada por uma pequena multidão que se aglomerava nas imediações da Praça da Alfandega. Foi até lá.

Era um desfile. Jovens, principalmente – e todos eles usando um uniforme igual ao do vizinho; todos erguendo o braço na mesma saudação; todos com a braçadeira cujo signo, Max agora reconhecia, não era bem a suástica – mas lembrava, ominosamente, a suástica nazi.

Max afastou-se precipitadamente. Sentia-se mal, tonto, nauseado. Entrou num bar, sentou-se. O dono, solícito, veio atendê-lo: precisa de alguma coisa? Max pediu um copo d'água. O homem trouxe, olhou para fora, comentou: É, esses caras também me dão nojo, mas não vale a pena a gente se aborrecer. Max pediu que chamassem um táxi. Voltou para a pensão, fechou-se no quarto, deitou.

Precisava pensar, colocar em ordem as ideias. Não conseguia. O desfile, o olhar arrogante dos jovens, os braços erguidos, as bandeiras, o rufar dos tambores, tudo aquilo perturbara-o demais. Naturalmente, nada sabia sobre o integralismo, Plínio Salgado; essas coisas viria a conhecer mais tarde; podia supor que tinha assistido a uma típica manifestação nazi, com ligeiras variantes, representando, talvez, uma adaptação da doutrina aos países do Novo Mundo. De qualquer modo sentia-se inseguro, tão inseguro e ameaçado quanto no dia em que abandonara a Alemanha; tão inseguro e ameaçado quanto nos dias que passara no escaler. Nem atravessando o oceano, nem enfrentando o jaguar escapara a seus perseguidores. De novo: a cidade, que lhe parecera tão amável naquela manhã de sol, revelava seus ocultos perigos. Até de voltar para o quarto, refúgio habitual, tinha receio. Quem lhe garantia que a dona da casa não era simpatizante de Hitler? E que a filha não era espiã, dissimulando sob aparência meiga a fria determinação dos agentes secretos, escondendo microfones sob os textos de José de Alencar?

Não, não poderia ficar mais em Porto Alegre. Mas, ir para onde? Do país não poderia sair, sequer tinha documentos. Teria de procurar um lugar menor, distante, onde o conflito não houvesse chegado. Mas que lugar? Olhou o mapa do Rio Grande, que afixara na parede para se familiarizar com os nomes das cidades. Para onde se dirigir? Em que região poderia se adaptar? No sul, na fronteira, certamente não; aquilo eram vastas propriedades, gaúchos galopando – e Max sequer sabia andar a cavalo. O norte, o nordeste do Estado pareciam-lhe melhor; ali poderia comprar uma pequena extensão de terra, passaria despercebido entre tantos imigrantes. Enquanto pensava nestas coisas, arrumava febrilmente suas poucas coisas na mala; vestiu o sobretudo e desceu. A dona da pensão olhou-o, atônita:

– Vai partir, senhor Max? Assim, de repente?

Negócios urgentes, disse Max. A voz saía-lhe esquisita, embargada. A mulher não disse nada. Limitou-se a receber o dinheiro.

De Elisabeth foi mais difícil se despedir; também ela não fez comentários, mas a custo continha as lágrimas. Max tentou gracejar; afinal, não era uma separação definitiva, não estava indo para outro planeta. Breve, quem sabe, viria vê-las.

Naquele dia mesmo Max comprou um carro, um Ford Modelo A, e se pôs a caminho. As estradas eram ruins, e ele um medíocre motorista – dirigira apenas esporadicamente o velho carro do pai –, de modo que tinha de ir lentamente, parando muitas vezes. Mas isto era bom. Queria ter tempo para conhecer a região, e sobretudo para pensar. Os dias eram bonitos, a viagem agradável, apesar da poeira da estrada. Roceirinhos abanavam-lhe quando ele passava, ele correspondia ao cumprimento com entusiasmo e ternura. Começava a se sentir bem, longe da cidade e de seus sinistros desfiles; e se estava sozinho no carro, pelo menos não havia junto dele nenhuma fera ameaçadora. Nenhum jaguar.

Estava na serra, agora. Para trás ficavam os núcleos urbanos. Agora era a montanha, o mato. Não a selva de que falava o professor Kunz, mas mato, de qualquer maneira, cerrado, impenetrável. Ali era a morada de pássaros exóticos, do cômico macaco, dos (arrepio de excitado temor) felinos brasileiros – alguns deles, pelo menos; Max sabia que a fauna do Rio Grande não era especialmente rica em feras, mas sua imaginação encarregava-se de povoar a floresta com estranhos felinos. Mas seguia em frente, rumo ao desconhecido.

A ONÇA NO MORRO

Durante dias Max percorreu a região serrana. Convenceu-se: ali acharia o refúgio que estava procurando. Em Caxias do Sul negociou com um corretor a compra de uma propriedade. O homem era parecido com *o Signor* Ettore, o que deixou Max apreensivo: não estaria entregando seu dinheiro a um tratante? Logo, porém, se arrependeu de suas suspeitas: a transação estava sendo feita de maneira inteiramente correta, os papéis estavam em ordem. Quem estava em situação irregular era Max, imigrante ilegal. O corretor foi compreensivo: por uma módica quantia, conseguiu-lhe os papéis da naturalização. Max Schmidt tornava-se brasileiro – e dono de um pedaço da terra brasileira.

E que belo pedaço. O sítio não era muito grande, pelos padrões de então – duzentos e vinte hectares –, mas as terras eram férteis. Água era abundante: duas boas vertentes. Finalmente, havia uma casa – modesta, de enxaimel, como as casas das propriedades vizinhas –, mas relativamente confortável; tinha até energia elétrica, fornecida por gerador. A paisagem era muito bonita; a propriedade ficava num lugar alto, com vista sobre toda a região. Mais alto, ali, só o Cerro Verde, um morro alto, coberto de espessa vegetação. No sopé do Cerro terminava a propriedade.

Foi com orgulho, mas não sem certa tristeza, que Max se instalou na casa. Não uma tristeza tão grande como a que sentira ao deixar a Alemanha; era uma coisa mais suave, mais resignada. Melancolia. Na idade em que outros jovens apenas pensam no que vão fazer ao término da Universidade, Max já era um homem, curtido, sofrido. Seu rosto, precocemente envelhecido, mostrava sinais das vicissitudes por que passara: rugas, um ricto amargo. Nada daquilo, porém, lhe importava agora. Queria começar vida nova. Não tinha a menor ideia sobre como seria esta vida, nem lhe importava. Descobriria à medida que passassem os dias, as semanas, os anos. Mas havia algo que o comovia, e isto era estar perto da terra. Apesar de seus conhecimentos científicos, era um agricultor apenas medíocre, com o auxílio de um silencioso empregado, originário das redondezas, plantava videiras, como seus vizinhos, cultivava uma horta, um pouco de milho; e criava porcos, galinhas, coelhos, algumas ovelhas, mas nada que produzisse resultados impressionantes, nada que lhe valesse prêmios em exposições agrícolas. Não foi ele que cultivou a abóbora gigante, medalha de prata em 1937; nem saiu de sua horta um pepino pesando três quilos e setecentos. Mas podia viver do que suas terras davam, e ainda obtinha um lucro razoável; o que lhe bastava. Se alguma felicidade ainda lhe era dado alcançar, depois de tudo que passara, não pretendia obtê-la através do dinheiro, e sim de coisas simples, como ver brotar as sementes, por exemplo. Era uma existência tranquila: acordava cedo, tomava chimarrão com o Bugre, o empregado; depois, junto com ele, ia trabalhar. Teve alguma dificuldade em se habituar à dura faina, mas com o correr do tempo ficou duro, rijo como qualquer dos colonos da região. Como os colonos, aprendeu a sondar o céu, em busca dos sinais de bom ou mau tempo. Sabia qual era o lado do chovedouro, sentia o cheiro da chuva quando ela ainda estava distante.

À noite, contudo, depois do jantar – que ele mesmo preparava, assim como as outras refeições – vestia-se decentemente, colocava gravata. Ficava então escutando os discos que encomendava em Porto Alegre, no vale silencioso ressoando os acordes da Nona Sinfonia de Beethoven. De Porto Alegre recebia também livros em português e alemão. Sua biblioteca tornou-se famosa entre os colonos; conheciam Max como o *Professor*. Seu relacionamento com eles era cordial, mas distante. De início imaginara que sua vida seria assim mesmo, reclusa, mas aos poucos foi sentindo necessidade de entrar em contato com pessoas cultas com quem pudesse conversar sobre ciência e literatura. Às vezes ia a Caxias para uma conferência ou um concerto. Lá ficou conhecendo um médico aposentado, de ascendência austríaca, que vivia em Canela com a esposa. Convidado a visitá-los, Max hesitou, mas acabou aceitando. Passou a frequentar-lhes regularmente a casa.

O Doutor Rudolf era um homem extraordinariamente culto. Trabalhara muito tempo na região do Alto Uruguai, onde fizera de tudo, clínica, cirurgia, partos. Desejaria, contudo, ter se especializado em psiquiatria; autodidata, era versado nas doutrinas do

Doutor Freud, de quem seu pai fora colega em Viena. Interessou-se pelas pesquisas do Professor Kunz, e contou a Max seus experimentos com índios. Reunia a tribo, contava histórias. Falava de Ego, jovem artesão que fabricava lindíssimos bonecos, e dos seres que o atormentavam: Id, anão fescenino e peludo (espécie de curupira); Superego, autoritário e aristocrático patrão. Depois de um dia de estafante trabalho, Ego deitava-se mas não podia dormir: Id vinha do porão e punha-se a dançar em torno ao catre, fazendo caretas obscenas. Ego levantava-se e seguia o anão pelos campos, até o que parecia ser a boca de um buraco de tatu, mas era na realidade a entrada para o fabuloso palácio subterrâneo da Fada Morgana. Nos grandes salões iluminados por tochas bailavam, diante dos olhos maravilhados de Ego, moças loiras e nuas. Estendiam-lhe os braços, mas, quando o rapaz ia se atirar a elas, surgia Superego, com seu fraque, sua cartola, seus lábios finos. A um sinal de sua bengala de castão de prata as bailarinas sumiam. Ele então se punha a zurzir o pobre Ego, repetindo monotonamente, *não pecarás, não pecarás*. O final era propositadamente otimista, com Ego livrando-se de seus algozes e casando com a Fada Morgana.

Estas histórias encantavam os índios, que as preferiam às de Tupã ou da Bíblia. Um deles, imaginoso escultor, chegou a confeccionar em madeira as imagens de Ego, Id e Superego, o que reforçava o efeito terapêutico da narrativa: jovens bugres que sofriam de infinita tristeza e índias histéricas curavam-se, mediante oferendas apaziguadoras a estes ídolos.

Max ouvia estes relatos com interesse mas com certo mal-estar. Também ele se considerava uma espécie de Ego; também ele revolvia-se à noite em sua cama, sem poder dormir, aguilhoado pela premência do sexo. De vez em quando vinha visitá-lo uma Margarete, dançarina de um cabaré em Caxias, uma moça loira e risonha, que lhe lembrava um pouco a Frida. De resto, porém, sentia falta de mulher – uma angústia a mais, entre as muitas que já tinha.

E então adoeceu.

Ficou muito doente, com uma febre que, para o Doutor Rudolf, não tinha causa evidente. Tiveram de hospitalizá-lo; muitos exames foram feitos, nada se descobria, seu estado se agravava a cada dia. Delirava, falando dos pais, de Harald e de um jaguar. Os médicos já não tinham esperança de salvá-lo e já tinham dado o caso por liquidado – quando Max começou a melhorar. A febre cedeu, ele recuperou a lucidez, mas ficou muito fraco. Tão fraco que mal conseguia caminhar. Queria voltar para casa a todo o custo. Bugre, o silencioso empregado, sugeriu que ele pegasse alguém para cozinhar, arrumar a casa. E trouxe sua sobrinha.

Logo que a viu, Max não prestou muita atenção nesta moça, nesta Jaci – é verdade que não estava em condições para tal. À medida, porém, que convalescia, seu interesse nela foi crescendo...

Tinha dezoito anos, a rapariga. O tipo, naturalmente, era de índia, mas de índia extraordinariamente bonita – índia de José de Alencar. Max gostava dela; de seu jeito um pouco estabanado, das cantigas ingênuas que entoava enquanto preparava a comida. Foi na cozinha que a beijou pela primeira vez; na noite seguinte, naturalmente, ela deitou com ele e não voltou mais para casa.

De início, Max teve um pouco de medo – não iriam os familiares de Jaci invadir-lhe a casa aos berros, devolve a menina, tarado? Não. Nada disto aconteceu. Jaci não tinha pais; e Bugre, o parente mais próximo, parecia indiferente ao que estava acontecendo, se não satisfeito: afinal, Jaci estava passando bem como nunca, e o próprio Bugre arrogara-se certos privilégios – trabalhava menos, de vez em quando tirava uma garrafa de vinho do armário – por conta de sua intermediação no caso.

Max amava-a.

Isto custou a descobrir, em parte por causa de seus temores, em parte por já estar tão calejado e, ainda, em parte porque não renunciara de todo à ideia de voltar à Alemanha e de casar com uma jovem que nunca vira, mas que em seus sonhos aparecia muito diferente de Jaci, mais parecida com a filha da dona da pensão. Por tudo isso, não foi um amor à primeira vista, essas coisas de cinema. O sentimento brotou aos poucos. Momentos: ela, distraída, olhando pela janela a chuva que caía; ela, cantarolando, arranjando flores num vaso; ela chorando silenciosamente, saberia lá Max por que motivo... Ternura primeiro, e logo, amor. Disto Max estava certo: amor. Já não poderia mais viver sem ela. E já não pensava na Alemanha, ou se pensava, era muito pouco. Jaci era tudo que contava, agora, passavam quase todo o tempo juntos, ou na horta, ou passeando pelo campo, olhando o Cerro Verde coberto de uma tênue neblina, ou em casa; junto ao fogão aceso, assando batata doce no forno. Sorriam mais do que falavam, porque ela achava graça do sotaque arrevesado dele, mas apesar disto tinha vergonha de sua própria linguagem – não sei falar essas palavras de doutor. Para ela, Max era doutor e pronto, um homem que sabia muitas coisas complicadas, difíceis de entender. A Alemanha lhe era difícil de entender, o nazismo também. Mas gostou da história do jaguar; deu boas risadas com as aflições de Max a bordo do escaler, e nem lhe ocorreu que aquilo pudesse ser delírio ou imaginação. Já ouvira falar de algo parecido, um pescador que embarcara em sua canoa e ali encontrara uma enorme cobra. Paralisado pelo terror, não conseguia tirar os olhos do ofídio, a embarcação sendo levada pela correnteza quilômetros e quilômetros, até encalhar, a cobra então desaparecendo na vegetação da margem.

E se amavam. No começo, nem sempre era bom – ela, um pouco desajeitada; aos poucos, porém, foram se descobrindo, e cada vez, então, era melhor.

Quando Jaci descobriu que estava grávida, Max nem hesitou: foi ao cartório e marcou o dia do casamento. Não pretendia fazer festa (nem haveria sentido, os pais estando longe), mas quis que a cerimônia tivesse alguma significação. Convidou o Doutor Rudolf e sua esposa para padrinhos. Surpreso, o médico concordou; mas quando Max foi à sua casa, uns dias depois, para combinar detalhes, mostrou-se reticente. Não, não sabia se poderia comparecer ao casamento, a esposa estava um pouco doente.

– Mas eu acabei de falar com ela – disse Max, surpreso.

O Doutor Rudolf hesitou.

– Olha, Max – disse, por fim. – É melhor eu botar as cartas na mesa. Minha mulher não quer ir a teu casamento. E também não quer que apareças mais por aqui. Espero que compreendas... As pessoas têm dessas coisas... dessas manias. O que é que se vai fazer, é mais forte que ela.

Max não estava entendendo. O que foi que eu fiz, ia perguntar, mas então deu-se conta: não era com ele o problema, e sim com Jaci. Com aquela criatura de pele escura. Com a bugra.

Max olhou o médico. Olhos baixos, ele tamborilava nervosamente sobre o braço da poltrona da confortável sala de estar. (Uma súbita curiosidade: teria o Doutor Rudolf contado à mulher os sonhos de Ego? Não. Provavelmente não.) Levantou-se e foi embora.

A filha, Hildegard (depois apelidada de Hilde) nasceu em agosto de 1939. Um mês depois começou a guerra. Max viveu um período de grande ansiedade; de um lado, desejava que os nazistas fossem derrotados; de outro, temia pela segurança dos pais. Acompanhava diariamente as notícias do *front* olhando o mapa da Europa à sua frente. Jaci preocupava-se: o marido não dormia direito, falava durante o sono. Mas a criança exigia-lhe toda a atenção, e assim tudo o que podia fazer era dizer calma, Max, ou não há de ser nada, Max.

A filha. Ah, sim, a filha. Aos poucos Max foi esquecendo a guerra – a guerra e tudo o mais – porque só tinha olhos para sua Hilde. Em seu diário só falava nela: hoje Hilde tomou suco pela primeira vez, hoje riu; hoje apareceu o primeiro dente, hoje disse mamãe, hoje deu o primeiro passo, hoje disse uma coisa engraçada (eram muitas, as coisas engraçadas: enchiam páginas e páginas). Desta forma, o tempo passava sem que Max notasse. Contudo, a calvície precoce que herdara do pai acentuava-se; em 1940 teve de tirar vários dentes, em 1941 ficou dias de cama por causa de umas dores reumáticas. O que é que tu queres, dizia o Doutor Rudolf, um dia vais ficar velho e doente, é inevitável. Max não acreditava muito nisto; sentia-se bem. Queimado do sol. Acostumado às intempéries.

Em 1942 o Brasil declarou guerra à Alemanha. Umas semanas depois Max foi a Caxias, fazer umas entregas em seu velho caminhão. Estacionou à frente de um armazém; quando desceu, alguns rapazes que ali estavam olharam-no de maneira estranha. Max não lhes deu atenção, entrou no estabelecimento. Quando saiu, meia hora depois, o caminhão estava coberto de suásticas, pintadas com tinta preta. Dos rapazes, nem sinal.

Max ficou fora de si. Foi para o meio da rua:

– Não sou nazista! – gritava. – Tenho raiva dos nazistas, e tenho raiva de quem fez isto no meu caminhão! Pule pra cá quem fez isto, se tem coragem!

Ninguém apareceu; Max terminou embarcando no caminhão e indo embora. Desde então, recusou-se a ir à cidade, os comerciantes tinham de vir ao sítio comprar seus produtos. Também não ouvia mais rádio, nem lia jornal.

Um dia ficou sabendo que a guerra terminara. Seu primeiro pensamento: agora poderia ver os pais. E a dúvida logo em seguida: estariam vivos? O que teria sido feito deles?

Decidiu viajar à Alemanha. A mulher apoiou: vai, Max vai ver tua gente. Me traz um presente, disse Hilde. Max sorriu, comovido: iria à Alemanha, mas como visitante. Sua gente estava ali: Jaci, a filha. Elas é que contavam.

Tirou as economias do banco, comprou passagem e foi. Chegar a Berlim não foi fácil; teve de falar com as autoridades de ocupação, mostrou documentos. Por fim obteve um salvo-conduto que lhe permitia entrar na cidade.

Foi com profunda emoção, e muita tristeza, que Max voltou a Berlim. Da cidade de sua infância nada mais restava. Casas arrasadas, pessoas vagueando nas ruas como sonâmbulas – clima de pesadelo. A loja do pai – o primeiro lugar aonde foi – era um montão de escombros. Caminhando entre eles, Max viu algo que reluzia ao sol. Era um olho de vidro. O olho do tigre empalhado. Max enrolou-o cuidadosamente no lenço e guardou.

Sua antiga casa também não mais existia; tinha sido destruída num bombardeio. Enquanto Max estava ali, olhando as ruínas, uma mulher de andar trôpego e olhar meio alucinado aproximou-se dele, pediu-lhe um cigarro. Max reconheceu-a: era uma vizinha.

– Não se lembra de mim, *Frau* Herta?

Ela olhou-o atemorizada. Logo em seguida o rosto se lhe abriu num sorriso:

– Mas é o Max! O jovem Max!

Abraçou-se a ele, chorando. Que desgraça, Max. Que enorme desgraça, Max. O que é que fomos fazer, Max.

Levou-o à sua casa – o que restava dela, um único aposento, cuja porta era um pedaço de lona – fê-lo sentar, ofereceu o que tinha, um pouco de chá e umas duras bolachas. Max ansiava por perguntar o que tinha sido feito dos pais; a mulher se antecipou:

– Tua mãe morreu, Max. Morreu logo depois que foste embora. E teu pai está internado. Num asilo, Max. Enlouqueceu. Aconteceu com muita gente... muita gente.

Max despediu-se dela, deixou-lhe cigarros e foi até o asilo, não longe dali. Era um lugar miserável, um conjunto de habitações semidestruídas, entre as quais caminhavam os doentes, vestindo farrapos. Max apresentou-se a uma enfermeira, que o olhou de alto a baixo e o levou a uma das enfermarias.

Max não reconheceu o pai. O homem enorme, de ar arrogante, estava reduzido a um velho magro, calvo e desdentado, que mirava fixo o chão, murmurando palavras incompreensíveis. Max sentou junto dele, abraçou-o, acariciou-lhe o rosto enrugado. Sou eu, pai – disse baixinho – o teu filho, o Max. Hans não respondeu. É inútil, disse a enfermeira, esse aí não passa de um vegetal. Max não disse nada. Levantou-se. Antes que saísse, o pai agarrou-o, fez com que se abaixasse:

– Isto tudo, *Herr* General – murmurou-lhe ao ouvido – é coisa dos judeus. Eu sei, porque trabalhei com peles. Ouça meu conselho e solte os tigres.

Max beijou-lhe o rosto. A enfermeira acompanhou-o até a porta. Ele disse que passaria a mandar uma quantia mensal, deixou seu endereço no Brasil. Por fim, deu à mulher uma generosa gorjeta; com o que ela abriu-se num sorriso, tornou-se subitamente amável: fique tranquilo, *Herr* Max, cuidaremos bem de seu pai. Baixou a voz: acho que ele não vai longe, pobrezinho... Mas até que descanse, terá todo o conforto. Nós lhe avisaremos do óbito.

Max apertou a mão que ela lhe estendia e foi embora.

Caminhou pelas ruas de Berlim. Passou pelo bar em que costumava tomar cerveja com o pai; tinha escapado à destruição, estava aberto. Max entrou, sentou. Era o único cliente. Foi atendido por um velho e soturno garçom.

– Só temos chá, senhor. Chá e água mineral.

Max pediu chá. Enquanto o sorvia lentamente, notou que uma mulher, na rua, detivera-se e o observava atenta. Levantou-se, ao mesmo tempo em que ela entrava correndo:

– Max!

Era Frida: aquela mulher gorda e feia, aquela mulher envelhecida, mal vestida, era a Frida que ele beijara no depósito de peles. Abraçaram-se demoradamente, sob o olhar indiferente do garçom, ela chorando. Recuava – Max! Quanto tempo, Max! – voltava a abraçá-lo. Finalmente sentaram. Max ofereceu-lhe chá; e, depois de uma rápida hesitação, perguntou se não queria comer algo. Sim, ela queria. O garçom trouxe o que havia, omelete, pão; ela comeu com apetite voraz. E falava muito, de boca cheia, contando sobre os anos de guerra, anos terríveis, de privações inimagináveis. Max reparou no retrato meio esmaecido do medalhão que ela trazia ao pescoço. E o teu marido? – perguntou.

Ela deu de ombros.

– Sei lá. Sumiu durante a guerra. Acho que fugiu. Muitos fizeram isto... Mas não me importei. Tu sabes, eu não gostava dele, Max.

Inclinou-se para ele, o rosto lambuzado de gordura, pegou-lhe a mão.

– Eu gostei mesmo foi de ti, Max. Aquelas tardes no depósito... Te lembras?

Deu uma risadinha. Ficou séria, olhou-o fixo, a boca entreaberta, as narinas subitamente dilatadas de desejo:

– Max, faz tanto tempo... Não gostarias de...?

Ele hesitou – um instante apenas, mas ela percebeu e aquilo lhe bastou, como humilhação. Empertigou-se:

– Não. Melhor não. De qualquer maneira, não há tempo. Tenho um compromisso agora.

Levantou-se, estendeu uma mão rija, que ele tentou reter – ela não deixou. Espero que um dia a gente se veja, disse, e saiu. Max ainda a viu atravessar a rua, caminhando apressada. Dobrou uma esquina e desapareceu.

Max voltou, como viera, de navio. Um grande navio de passageiros, dotado de todo o conforto. Ele tinha uma decente cabine na classe turista. Não se ouviam urros de animais, e o risco de naufrágio parecia remoto: o navio tinha todos os dispositivos de segurança, o comandante inspirava confiança. Se Max não dormia bem à noite, se acordava sobressaltado, suando, isto se devia provavelmente a que estava no meio do oceano, longe de casa, longe da mulher e da filha, longe da cama a que estava acostumado. Nunca mais viajarei, decidiu. Nem para a Alemanha, nem para qualquer outro lugar.

Max voltou à rotina do sítio. Plantava, colhia, cuidava dos animais; à noite lia, escutava música. Jaci se queixava: tu nunca me levas ao cinema, Max! Só vi dois filmes na minha vida!

Max achou que ela precisava de outro filho. A gravidez, contudo, terminou num aborto, Jaci tendo de ser hospitalizada por causa da hemorragia. Max deixou Hilde com a empregada e ficou com a mulher no hospital durante quase um mês. Quando voltou, teve uma surpresa: estavam construindo uma casa no topo mesmo do Cerro Verde. Era um lugar estranho para uma construção, por causa do difícil acesso; e a casa parecia de luxo, enorme. Sabes de quem é? – perguntou Max ao Bugre. O empregado não sabia. Ele foi buscar o binóculo, e daí em diante passou a olhar a obra todos os dias.

A princípio só via operários, o mestre, o engenheiro, mas um dia avistou alguém que lhe pareceu o proprietário. Estava de costas; um homem de certa idade, elegantemente vestido, tipo europeu, sem dúvida. O homem voltou-se, ele procurou focar-lhe o rosto. Quando o conseguiu, sentiu um baque no peito, a sensação que o coração parava de bater: conhecia aquela face, já a tinha visto – e não fazia muito tempo. No medalhão de Frida: era o marido dela. Max agora regulava febrilmente o binóculo, procurando ver melhor o homem. Mas ele entrou num carro, arrancou e desapareceu.

A partir daquele dia já não foi o mesmo. A mulher, convalescente, tinha de se preocupar com ele: Max perdera a disposição para o trabalho, não comia, dormia mal, gemendo. Até a pequena Hilde notou que algo estava acontecendo: o que tem o papai? – perguntava, e Jaci não sabia responder. Vai ao doutor, dizia ao marido. Max respondia que não era necessário, que estava tudo bem. Mas Jaci sabia que não estava tudo bem; e, para agravar ainda mais a situação, pensou que a coisa fosse com ela: tu não gostas mais de mim, Max, choramingava. Cansaste de mim, é porque não sou branca, não sou da tua raça, tu queres uma loira, Max. Ele se aborrecia, saía de casa.

Vagueava pelo campo, obcecado pelo rosto que vira pelo binóculo e pelos antigos fantasmas. Pensava nisto constantemente, desesperava-se: por que não o deixava em paz, aquela maldita lembrança? Começara vida nova, não queria lembrar o passado. Que importava se o marido de Frida estava vivo, se viera morar no Brasil, e, por azar, não longe de seu sítio?

Importava, sim. Max sabia que importava.

Tinha de descobrir a verdade. Tinha de ir ao covil da fera, enfrentá-la no próprio reduto. Mas de que maneira? Sob que pretexto?

Enquanto se debatia nestas dúvidas, a casa ficou pronta, o homem passou a morar nela. Aparentemente era só, não tinha família; mas na casa havia duas outras pessoas: um homem, provavelmente empregado, e uma mulher que andava sempre de avental – a cozinheira. Tomavam conta da casa quando o dono se ausentava, o que acontecia frequentemente – e também dificultava a Max planejar uma visita. Descobriu, porém, que nos fins de semana o homem não saía. E assim, num sábado, pegou o caminhão e foi até lá.

O acesso à propriedade se fazia por uma estreita estrada acascalhada, certamente construída pelo dono da casa, pois não havia outras moradias na redondeza. Max parou o veículo diante do grande portão de ferro. Estava fechado. Um cartaz dizia: *Propriedade particular. Cuidado. Cães ferozes.* De fato, havia quatro mastins, latindo furiosamente.

Max tocou a buzina. O empregado apareceu.

– Que é? – perguntou, desconfiado.

– Sou o dono do sítio lá de baixo – explicou Max. – Vim fazer uma visita ao dono da casa.

Hesitou um pouco e acrescentou, com um sorriso forçado:

– Visita de boas vindas. Costume aqui da região.

O empregado não disse nada, deu meia volta. Pouco depois retornou, enxotou os cães, abriu o portão.

– Me acompanhe, faz favor.

Levou Max até a casa; antes que ele entrasse, advertiu-o:

– Suas botas. Faz favor de limpar aí no capacho.

Max obedeceu, de má vontade. O empregado fê-lo entrar num elegante gabinete. Os móveis eram os da região, rústicos, e rústicos eram também os tapetes de lã; mas havia quadros e esculturas em profusão, os cinzeiros eram de cristal, e os livros, nas prateleiras, estavam luxuosamente encadernados. Max olhou os títulos: romances, obras de filosofia; nada de comprometedor.

– Bom dia! Em que posso servi-lo?

Ali estava, sorridente, o homem que Max espiava pelo binóculo. Vestia roupa esporte – paletó de *tweed*, calças de flanela, lenço de seda ao pescoço – mas elegante. Afável, simpático; e não se parecia com o retrato do medalhão de Frida. Afinal, pensou Max, o tempo passou. Também para aquele canalha o tempo passara. A revolta cresceu no peito de Max, ele cerrou involuntariamente os punhos. Mas conteve-se, a custo se apresentou e disse que estava ali numa visita de cortesia.

– Pois bem-vindo seja à minha casa – disse o homem, num sotaque carregado. Do qual, aliás, parecia se dar conta; depois de uma pequena vacilação perguntou se podia falar em alemão. Max hesitou também, mas disse que sim. O homem então se apresentou como Georges Backhaus, de Berlim, negociante aposentado que vivia de rendimentos.

– Resolvi terminar meus dias no Brasil. – Sorriso triste. – Cansei da Europa, cansei de guerra e destruição.

Cínico, pensava Max. Cínico, traidor, assassino. Mas um artista, tinha de reconhecer. Representava às maravilhas seu papel de cidadão do mundo em busca de refúgio.

– Licor?

Max não respondeu, o homem encheu dois cálices, estendeu-lhe um, sorrindo sempre.

Tomado de súbita fúria, Max atirou o cálice no chão. O homem deu um pulo, assustado.

– Isto é demais! É demais!

O outro olhava-o, alarmado.

– Não sabes quem sou eu? – berrou Max. – Max! Max Schmidt! O amante de tua mulher, Frida. Da mulher que tu abandonaste! O amigo do Harald, do Harald que tu denunciaste à polícia! Que se matou por tua causa, bandido miserável!

– Não sei do que o senhor está falando – disse o homem, lívido. – E contenha-se, por favor, ou serei obrigado a lhe pedir que saia de minha casa.

O empregado botou a cabeça pela porta:

– Precisa de alguma coisa, senhor Georges?

– Não, obrigado. Se precisar, chamarei.

A porta fechou-se. Backhaus voltou-se para Max:

– Muito desagradável, isto, senhor Max. Mas creio que posso compreender sua raiva: o senhor deve estar me confundindo com outra pessoa. Nós, que saímos da Alemanha – Max interrompeu-o:

– Não estou confundindo coisa alguma. – O tom era baixo, mas ameaçador. – E não pretendo deixar as coisas como estão. Breve vamos ajustar contas. Passe bem.

Sem esperar resposta, saiu, batendo a porta. Sob o olhar vigilante e suspeitoso do empregado, entrou no caminhão, manobrou violentamente sobre os canteiros da propriedade – cuidado, gritou o empregado, está esmagando as plantas – e foi embora.

Agora já sabia o que fazer. Dedicar-se-ia a desmascarar o nazista, a fazer com que fosse preso e condenado.

Foi a Porto Alegre, dirigiu-se a uma delegacia de polícia. Quero denunciar um fato grave, disse ao delegado que o recebeu. O homem ouviu-o atentamente, tomou notas. Lá pelas tantas, interrompeu a confusa narrativa de Max:

– O senhor tem provas disto que está afirmando?

– Provas? – Max franziu a testa. – Que provas? Pois se estou lhe contando tudo que se passou! O homem é nazista! Nazista militante! Minha palavra não basta?

O delegado sorriu:

– Não se trata disto. É que preciso de coisas concretas. Documentos, fotografias...

– Documentos, fotografias?

Max olhava-o, perplexo. Não, murmurou, não tenho nada disto.

De repente a fisionomia do Delegado pareceu-lhe familiar.

– Acho que o estou reconhecendo – disse – mas não sei de onde.

O Delegado também o olhava, curioso.

– Pois eu também acho que o conheço...

Pensou um pouco, acrescentou:

— O senhor não morou numa pensão da Floresta em trinta e sete, trinta e oito?

Claro: era o homem do uniforme. O que se exibia diante do espelho. E agora tudo fazia sentido para Max: ele jamais acolheria uma queixa contra o nazista. Mais, talvez até o conhecesse, talvez estivessem mancomunados. Levantou-se precipitadamente e foi embora.

Convencido de que nada conseguiria por meios legais (o homem tem ligações, deve estar bem protegido), Max resolveu enveredar por outro, e mais arriscado caminho. Fez publicar no *Correio do Povo* (do qual vira um exemplar na casa do suposto Georges Backhaus) um apedido sob o título: *Ninho de Cobras na Região Serrana. No alto do Cerro Verde*, começava o texto, *existe uma bela casa recém-construída* – e assim ia, para terminar dizendo que a casa era o covil de um nazista de passado tenebroso.

Desta vez conseguiu irritá-lo. No dia seguinte ao da publicação, o empregado de Backhaus veio ao sítio:

— O patrão mandou dizer que é para o senhor parar com essas bobagens. Ele não quer tomar providências, mas se o senhor continuar com isto, vai se arrepender.

Já para fora daqui, gritou Max. Mas agora estava contente: conseguira provocar a fera, atraí-la para fora do covil. Tinha de perturbar mais ainda o nazi, fazer com que perdesse as estribeiras, que fizesse bobagens. Deixa disso, pediu Jaci, que assistira, alarmada, à cena. Tu ainda vais te incomodar com esse homem.

Max, porém, não deixaria disso. Não agora, que tinha traçado um plano. Atacou naquela mesma noite. Foi à propriedade do Cerro Verde, conseguiu entrar – para isto teve primeiro de envenenar os cachorros – e, já ao romper da aurora, subiu ao telhado. Lá hasteou uma grosseira bandeira nazista: um lençol, no qual tinha pintado uma suástica. Voltou para o sítio e de lá, mesmo sem o binóculo, podia observar a bandeira tremulando ao vento. E assim como ele, certamente todos que passavam pela estrada: denúncia melhor que aquela seria impossível. E aparentemente só ao cair da tarde Georges Backhaus se apercebeu da existência da bandeira: Max sorria, observando o arrogante empregado agora se equilibrando precariamente sobre o telhado para retirá-la de lá. Jaci se inquietava: agora chega, Max, já te vingaste. Max, porém, já estava tramando o próximo golpe. Ideias não faltavam: poderia espalhar folhetos sobre o nazista – escrever uma peça de teatro – compor músicas.

Não chegou a executar nenhum desses planos.

Acordou na madrugada seguinte com violentas batidas na porta. Abriu: era Bugre, assustadíssimo.

– Vem ver, patrão!

Max seguiu-o até as coelheiras. O que viu chegou a lhe revoltar o estômago: as gaiolas dos animais rebentadas, coelhos despedaçados por todos os lados, poças de sangue no chão. Foi a onça, disse Bugre.

Referia-se a uma história que corria na região, segundo a qual haveria uma onça no Cerro Verde, fugida de um caminhão que a transportava para um zoo particular, em Porto Alegre.

Onça? Não. Para Max aquilo era obra de uma criatura muito mais cruel que qualquer onça. Mas se era intimidá-lo o que Georges Backhaus pretendia, não o conseguiria. Por mais coelhos que matasse.

Max fez repetir o apedido no *Correio do Povo* e preparou-se: ele, Bugre e um outro empregado, um rapazinho que o ajudava na horta, se revezariam na guarda noturna da propriedade.

Deu-lhes um revólver e munição, disse-lhes que atirassem em qualquer coisa que se mexesse:

– Mesmo se for gente, ouviram?

Pensou um pouco e acrescentou:

– Principalmente se for gente.

Em sua primeira noite de vigia, Max lembrou o pai caçando tigres, na Índia: mas não sentia o menor entusiasmo por este tipo de tocaia. A ideia que o nazista agora estava na ofensiva enchia-o de raiva; mas o conflito entre ambos se transformara numa espécie de jogo. Ele fizera o último movimento, a Georges Backhaus competia o próximo lance.

Este, aparentemente, não estava relacionado com os animais. Durante duas semanas montaram guarda – e nada aconteceu. Bugre se queixava: estava velho, não aguentava ficar noites inteiras sem dormir; o rapazinho, que sofria de bronquite, ameaçou deixar o emprego; quanto a Jaci, abria a janela no meio da noite e gritava:

– Vem para a cama, Max! Deixa de besteira!

Max foi obrigado a desistir do esquema de vigilância. Tinha certeza, porém, que a onça – Backhaus – breve atacaria. E resolveu provocá-lo: mandou publicar mais uma vez o apedido. E ficou aguardando. O que seria desta vez? Galinhas? Alfaces?

Alguns dias depois recebeu uma intimação judicial. Jaci acompanhou-o até Caxias. No tribunal, disseram a Max que arranjasse um advogado: Georges Backhaus estava lhe movendo um processo por causa dos apedidos no jornal.

Durante o trajeto de volta Max se manteve silencioso. Ruminava pensamentos de vingança, e, ao mesmo tempo, estava cheio de maus presságios. Convencera-se agora de que estava enfrentando um inimigo perigoso e imprevisível, muito mais astuto do que imaginara (neste ponto ele em absoluto correspondia à descrição de Frida, que falava com desprezo da inteligência do marido). Com pirraças não o venceria. A luta era mais séria do que pensava.

Chegaram ao sítio e de imediato perceberam que algo anormal estava acontecendo: a camisa de Bugre estava jogada no chão, da porta da casa o rapazinho fazia-lhes sinais nervosos.

Desceram do caminhão, entraram em casa correndo. Bugre veio-lhes ao encontro:

– A onça, patrão! A onça atacou de novo! Ai, que desgraça!

Tinham encontrado a pequena Hilde caída no mato, sem sentidos, as roupinhas rasgadas, o corpo todo lanhado. Jaci pôs-se a gritar, Max pegou a filha, colocou-a no caminhão e rumou para o hospital.

Passaram a noite em claro na sala de espera do hospital. De manhã o médico veio falar com eles e disse que não se preocupassem, que a menina estava bem.

– Como é que ela se feriu daquele jeito? Espinhos?

Não, disse Max. Acho que não foi espinho aquilo. Hesitou, perguntou se a menina tinha falado alguma coisa a respeito. Não, disse o doutor, ela não se lembra de nada.

Pelo menos isso, pensou Max. Pelo menos o esquecimento. Deixou Jaci no hospital e voltou para casa.

Executou todos os preparativos com metódica calma. Primeiro escreveu uma carta; não a Jaci, que de resto mal sabia ler, mas ao Doutor Rudolf. Que não estranhassem a sua conduta, estava agindo tranquilo, na plena posse de suas faculdades, convencido de que era uma obrigação sua. Pedia depois que o Doutor ajudasse Jaci a pôr os negócios em ordem e agradecia-lhe por tudo.

Colocou a carta no envelope, dirigiu-se ao galpão das ferramentas. Ali hesitou um pouco: pegou uma foice, examinou-a, testa franzida, leve sorriso nos lábios, deixou-a de lado; depois um machado; finalmente decidiu-se pelo facão, o maior de todos, uma peixeira de oitenta centímetros de lâmina. Embarcou no caminhão e começou a subir o Cerro Verde. A uns quinhentos metros da casa, parou. Daí em diante seguiria a pé.

O portão não estava trancado. Abriu-o, logo em seguida ouviu latidos. Era o cão – um único cão, um dálmata, substituía agora os mastins. Veio correndo e saltou sobre Max, que o atingiu com o facão em pleno ar. O animal, crânio partido, caiu fulminado. Um grito agudo: era a cozinheira, que assistira à cena e agora fugia correndo para o mato. Quanto ao empregado, não estava à vista; seu dia de folga, talvez. Ou talvez também tivesse fugido.

Max lançou um olhar sobre o cadáver do cão. Sem pressa, caminhou para a casa. A porta estava aberta. Facão na mão, ele entrou.

Não havia ninguém no gabinete, nem na sala de estar. Max abriu a porta que dava para o longo corredor. No fundo desta, de pé, estava Georges Backhaus.

Empunhava um revólver, naturalmente. Max caminhou na direção dele, o olhar fixo na mão. Mas não por causa da arma. Das unhas. Pelo que podia divisar, na escassa claridade, as unhas não eram longas. Nem pontiagudas. E não havia sangue nelas, Max sabendo contudo que sangue com água se lava.

Nada de anormal, naquela mão. A não ser o revólver. Para, disse o homem, numa voz surda. Max não parou, ele deu ao gatilho.

A bala atingiu Max no ombro esquerdo, o impacto atirou-o no chão. Quase imediatamente ele se levantou, e, indiferente à dor, ao sangue que lhe escorria quente pelo peito, continuou caminhando. Novo disparo, que desta vez raspou-lhe – dor terrível, contudo – o braço esquerdo. Max parou um instante, só um instante, e continuou avançando, a mão crispada segurando o facão.

Sorrindo, Georges Backhaus voltou a arma contra o próprio peito. Hesitou, como se fosse dizer algo, mas em seguida disparou. E caiu sem ruído.

Saindo dali, Max foi direto à polícia. Tiveram de hospitalizá-lo, naturalmente, mas tão logo o médico lhe deu alta, prenderam-no e o submeteram a julgamento. Perguntaram-lhe se havia matado Georges Backhaus. Respondeu que sim. Por quê? Por causa de uma dívida, foi o que respondeu, em seu lacônico depoimento. Pelo fato de ter sido ferido, por sua boa conduta, confirmada por todas as testemunhas, e também por ser um refugiado, o juiz condenou-o a seis anos de prisão – isto, apesar dos protestos do promotor, que gostava de cães e se indignara sobremodo com a morte do dálmata ("Atente o Meritíssimo para a periculosidade de um indivíduo que assassina friamente um pobre cão que apenas cumpria seu dever").

Max foi recolhido ao Presídio Central em Porto Alegre. Era um preso exemplar: lia, trabalhava na horta, não brigava com ninguém, não criava caso. Por seu bom comportamento foi solto antes do término da pena. Voltou para o sítio, onde, felizmente, tudo correra bem em sua ausência.

Viveu tranquilo, daí por diante. Dava-se bem com todos, mas recusava-se a falar sobre seu passado, em parte por genuíno esquecimento, tal como acontecera com Hilde, que nunca conseguiu lembrar o que lhe acontecera no dia em que a encontraram caída no mato. Por causa disto, talvez, era uma moça nervosa; mas concluiu o curso normal, casou com um engenheiro, teve quatro filhos, que eram a alegria da velha Jaci.

Nos últimos anos de sua vida, Max dedicou-se à criação de gatos de raça, angorás de uma variedade especial ("angorá brasileiro"), premiada em várias exposições. Eram animais muito dóceis, de uma sensibilidade incomum: ronronavam ternamente quando Max lhes entoava cantigas de ninar e demonstravam uma peculiar predileção por crianças.

Max Schmidt morreu em 1977. Estou em paz com meus felinos, dizia em seus últimos dias, e ninguém sabia exatamente o que queria dizer. Mas era aquilo mesmo: Max estava, enfim, em paz com seus felinos.

Sobre o Autor

Moacyr Scliar nasceu em Porto Alegre, em 1937. Era o filho mais velho de um casal de imigrantes judeus da Bessarábia (Europa Oriental). Sua mãe incentivou-o a ler desde pequeno: Monteiro Lobato, Erico Verissimo e os livros de aventura estavam entre seus preferidos. Mas foi um presente de aniversário que o despertou para a escrita – uma velha máquina de escrever, onde datilografou suas primeiras histórias. Ao ingressar na faculdade de medicina, começou a escrever para o jornal *Bisturi*. Em 1962, no mesmo ano da formatura na Universidade Federal do Rio Grande do Sul, publicou seu primeiro livro, *Histórias de um médico em formação* (contos). Paralelamente à trajetória na saúde pública – que lhe permitiu conhecer o Brasil nas suas profundezas –, construiu uma consolidada carreira de escritor, cujo marco foi o lançamento, em 1968, com grande repercussão da crítica, de *O carnaval dos animais* (contos).

Autor de mais de oitenta livros, Scliar construiu uma obra rica e vasta, fortemente influenciada pelas experiências de esquerda, pela psicanálise e pela cultura judaica. Sua literatura abrange diversos gêneros, entre ficção, ensaio, crônica e literatura juvenil, com ampla divulgação no Brasil e no exterior, tendo sido traduzida para várias línguas. Seus livros foram adaptados para o cinema, teatro, TV e rádio e receberam várias premiações, entre elas quatro Prêmios Jabuti: em 1988, com *O olho enigmático*, na categoria contos, crônicas e novelas; em 1993, com *Sonhos tropicais*, romance; em 2000, com *A mulher que escreveu a Bíblia*, romance, e em 2009, com *Manual da paixão solitária*, romance. Também foi agraciado com o Prêmio da Associação Paulista de Críticos de Arte (1980) pelo romance *O centauro no jardim*, com o Casa de las Américas (1989) pelo livro de contos *A orelha de Van Gogh* e com três Prêmios Açorianos: em 1996, com *Dicionário do viajante insólito*, crônicas; em 2002, com *O imaginário cotidiano*, crônicas; e, em 2007, com o ensaio *O texto ou: a vida – uma trajetória literária*, na categoria especial.

Pela L&PM Editores, publicou os romances *Mês de cães danados* (1977), *Doutor Miragem* (1978), *Os voluntários* (1979), *O exército de um homem só* (1980), *A guerra no Bom Fim* (1981), *Max e os felinos* (1981), *A festa no castelo* (1982), *O centauro no jardim* (1983), *Os deuses de Raquel* (1983), *A estranha nação de Rafael Mendes* (1983), *Cenas da vida minúscula* (1991), *O ciclo das águas* (1997) e *Uma história farroupilha* (2004); os livros de crônicas *A massagista japonesa* (1984), *Dicionário do viajante insólito* (1995), *Minha mãe não dorme enquanto eu não chegar* (1996) e *Histórias de Porto Alegre* (2004); as coletâneas de ensaios *A condição judaica* (1985) e *Do mágico ao social* (1987), além dos livros de contos *Histórias para (quase) todos os gostos*

(1998) e *Pai e filho, filho e pai* (2002), do livro coletivo *Pega pra kaputt!* (1978) e de *Se eu fosse Rothschild* (1993), um conjunto de citações judaicas.

Scliar colaborou com diversos órgãos da imprensa com ensaios e crônicas, foi colunista dos jornais *Folha de S. Paulo* e *Zero Hora* e proferiu palestras no Brasil e no exterior. Entre 1993 e 1997, foi professor visitante na Brown University e na University of Texas, nos Estados Unidos. Em 2003, foi eleito membro da Academia Brasileira de Letras. Faleceu em Porto Alegre, em 2011, aos 73 anos.

Confira entrevista gravada com Moacyr Scliar em 2010 no site www.lpm-webtv.com.br.

Coleção L&PM POCKET

1190. **Procurando diversão** – Mauricio de Sousa
1191. **E não sobrou nenhum e outras peças** – Agatha Christie
1192. **Ansiedade** – Daniel Freeman & Jason Freeman
1193. **Garfield: pausa para o almoço** – Jim Davis
1194. **Contos do dia e da noite** – Guy de Maupassant
1195. **O melhor de Hagar 7** – Dik Browne
1196(29). **Lou Andreas-Salomé** – Dorian Astor
1197(30). **Pasolini** – René de Ceccatty
1198. **O caso do Hotel Bertram** – Agatha Christie
1199. **Crônicas de motel** – Sam Shepard
1200. **Pequena filosofia da paz interior** – Catherine Rambert
1201. **Os sertões** – Euclides da Cunha
1202. **Treze à mesa** – Agatha Christie
1203. **Bíblia** – John Riches
1204. **Anjos** – David Albert Jones
1205. **As tirinhas do Guri de Uruguaiana 1** – Jair Kobe
1206. **Entre aspas (vol.1)** – Fernando Eichenberg
1207. **Escrita** – Andrew Robinson
1208. **O spleen de Paris: pequenos poemas em prosa** – Charles Baudelaire
1209. **Satíricon** – Petrônio
1210. **O avarento** – Molière
1211. **Queimando na água, afogando-se na chama** – Bukowski
1212. **Miscelânea septuagenária: contos e poemas** – Bukowski
1213. **Que filosofar é aprender a morrer e outros ensaios** – Montaigne
1214. **Da amizade e outros ensaios** – Montaigne
1215. **O medo à espreita e outras histórias** – H.P. Lovecraft
1216. **A obra de arte na era de sua reprodutibilidade técnica** – Walter Benjamin
1217. **Sobre a liberdade** – John Stuart Mill
1218. **O segredo de Chimneys** – Agatha Christie
1219. **Morte na rua Hickory** – Agatha Christie
1220. **Ulisses (Mangá)** – James Joyce
1221. **Ateísmo** – Julian Baggini
1222. **Os melhores contos de Katherine Mansfield** – Katherine Mansfield
1223(31). **Martin Luther King** – Alain Foix
1224. **Millôr Definitivo: uma antologia de *A Bíblia do Caos*** – Millôr Fernandes
1225. **O Clube das Terças-Feiras e outras histórias** – Agatha Christie
1226. **Por que sou tão sábio** – Nietzsche
1227. **Sobre a mentira** – Platão
1228. **Sobre a leitura *seguido do* Depoimento de Céleste Albaret** – Proust
1229. **O homem do terno marrom** – Agatha Christie
1230(32). **Jimi Hendrix** – Franck Médioni
1231. **Amor e amizade e outras histórias** – Jane Austen
1232. **Lady Susan, Os Watson e Sanditon** – Jane Austen
1233. **Uma breve história da ciência** – William Bynum
1234. **Macunaíma: o herói sem nenhum caráter** – Mário de Andrade
1235. **A máquina do tempo** – H.G. Wells
1236. **O homem invisível** – H.G. Wells
1237. **Os 36 estratagemas: manual secreto da arte da guerra** – Anônimo
1238. **A mina de ouro e outras histórias** – Agatha Christie
1239. **Pic** – Jack Kerouac
1240. **O habitante da escuridão e outros contos** – H.P. Lovecraft
1241. **O chamado de Cthulhu e outros contos** – H.P. Lovecraft
1242. **O melhor de Meu reino por um cavalo!** – Edição de Ivan Pinheiro Machado
1243. **A guerra dos mundos** – H.G. Wells
1244. **O caso da criada perfeita e outras histórias** – Agatha Christie
1245. **Morte por afogamento e outras histórias** – Agatha Christie
1246. **Assassinato no Comitê Central** – Manuel Vázquez Montalbán
1247. **O papai é pop** – Marcos Piangers
1248. **O papai é pop 2** – Marcos Piangers
1249. **A mamãe é rock** – Ana Cardoso
1250. **Paris boêmia** – Dan Franck
1251. **Paris libertária** – Dan Franck
1252. **Paris ocupada** – Dan Franck
1253. **Uma anedota infame** – Dostoiévski
1254. **O último dia de um condenado** – Victor Hugo
1255. **Nem só de caviar vive o homem** – J.M. Simmel
1256. **Amanhã é outro dia** – J.M. Simmel
1257. **Mulherzinhas** – Louisa May Alcott
1258. **Reforma Protestante** – Peter Marshall
1259. **História econômica global** – Robert C. Allen
1260(33). **Che Guevara** – Alain Foix
1261. **Câncer** – Nicholas James
1262. **Akhenaton** – Agatha Christie
1263. **Aforismos para a sabedoria de vida** – Arthur Schopenhauer
1264. **Uma história do mundo** – David Coimbra
1265. **Ame e não sofra** – Walter Riso
1266. **Desapegue-se!** – Walter Riso
1267. **Os Sousa: Uma família do barulho** – Mauricio de Sousa
1268. **Nico Demo: O rei da travessura** – Mauricio de Sousa
1269. **Testemunha de acusação e outras peças** – Agatha Christie

1270(34).**Dostoiévski** – Virgil Tanase
1271.**O melhor de Hagar 8** – Dik Browne
1272.**O melhor de Hagar 9** – Dik Browne
1273.**O melhor de Hagar 10** – Dik e Chris Browne
1274.**Considerações sobre o governo representativo** – John Stuart Mill
1275.**O homem Moisés e a religião monoteísta** – Freud
1276.**Inibição, sintoma e medo** – Freud
1277.**Além do princípio de prazer** – Freud
1278.**O direito de dizer não!** – Walter Riso
1279.**A arte de ser flexível** – Walter Riso
1280.**Casados e descasados** – August Strindberg
1281.**Da Terra à Lua** – Júlio Verne
1282.**Minhas galerias e meus pintores** – Kahnweiler
1283.**A arte do romance** – Virginia Woolf
1284.**Teatro completo v. 1: As aves da noite** *seguido de* **O visitante** – Hilda Hilst
1285.**Teatro completo v. 2: O verdugo** *seguido de* **A morte do patriarca** – Hilda Hilst
1286.**Teatro completo v. 3: O rato no muro** *seguido de* **Auto da barca de Camiri** – Hilda Hilst
1287.**Teatro completo v. 4: A empresa** *seguido de* **O novo sistema** – Hilda Hilst
1289.**Fora de mim** – Martha Medeiros
1290.**Divã** – Martha Medeiros
1291.**Sobre a genealogia da moral: um escrito polêmico** – Nietzsche
1292.**A consciência de Zeno** – Italo Svevo
1293.**Células-tronco** – Jonathan Slack
1294.**O fim do ciúme e outros contos** – Proust
1295.**A jangada** – Júlio Verne
1296.**A ilha do dr. Moreau** – H.G. Wells
1297.**Ninho de fidalgos** – Ivan Turguêniev
1298.**Jane Eyre** – Charlotte Brontë
1299.**Sobre gatos** – Bukowski
1300.**Sobre o amor** – Bukowski
1301.**Escrever para não enlouquecer** – Bukowski
1302.**222 receitas** – J. A. Pinheiro Machado
1303.**Reinações de Narizinho** – Monteiro Lobato
1304.**O Saci** – Monteiro Lobato
1305.**Memórias da Emília** – Monteiro Lobato
1306.**O Picapau Amarelo** – Monteiro Lobato
1307.**A reforma da Natureza** – Monteiro Lobato
1308.**Fábulas** *seguido de* **Histórias diversas** – Monteiro Lobato
1309.**Aventuras de Hans Staden** – Monteiro Lobato
1310.**Peter Pan** – Monteiro Lobato
1311.**Dom Quixote das crianças** – Monteiro Lobato
1312.**O Minotauro** – Monteiro Lobato
1313.**Um quarto só seu** – Virginia Woolf
1314.**Sonetos** – Shakespeare
1315(35).**Thoreau** – Marie Berthoumieu e Laura El Makki
1316.**Teoria da arte** – Cynthia Freeland
1317.**A arte da prudência** – Baltasar Gracián
1318.**O louco** *seguido de* **Areia e espuma** – Khalil Gibran
1319.**O profeta** *seguido de* **O jardim do profeta** – Khalil Gibran
1320.**Jesus, o Filho do Homem** – Khalil Gibran
1321.**A luta** – Norman Mailer
1322.**Sobre o sofrimento do mundo e outros ensaios** – Schopenhauer
1323.**Epidemiologia** – Rodolfo Sacacci
1324.**Japão moderno** – Christopher Goto-Jones
1325.**A arte da meditação** – Matthieu Ricard
1326.**O adversário secreto** – Agatha Christie
1327.**Pollyanna** – Eleanor H. Porter
1328.**Espelhos** – Eduardo Galeano
1329.**A Vênus das peles** – Sacher-Masoch
1330.**O 18 de brumário de Luís Bonaparte** – Karl Marx
1331.**Um jogo para os vivos** – Patricia Highsmith
1332.**A tristeza pode esperar** – J.J. Camargo
1333.**Vinte poemas de amor e uma canção desesperada** – Pablo Neruda
1334.**Judaísmo** – Norman Solomon
1335.**Esquizofrenia** – Christopher Frith & Eve Johnstone
1336.**Seis personagens em busca de um autor** – Luigi Pirandello
1337.**A Fazenda dos Animais** – George Orwell
1338.**1984** – George Orwell
1339.**Ubu Rei** – Alfred Jarry
1340.**Sobre bêbados e bebidas** – Bukowski
1341.**Tempestade para os vivos e para os mortos** – Bukowski
1342.**Complicado** – Natsume Ono
1343.**Sobre o livre-arbítrio** – Schopenhauer
1344.**Uma breve história da literatura** – John Sutherland
1345.**Você fica tão sozinho às vezes que até faz sentido** – Bukowski
1346.**Um apartamento em Paris** – Guillaume Musso
1347.**Receitas fáceis e saborosas** – José Antonio Pinheiro Machado
1348.**Por que engordamos** – Gary Taubes
1349.**A fabulosa história do hospital** – Jean-Noël Fabiani
1350.**Voo noturno** *seguido de* **Terra dos homens** – Antoine de Saint-Exupéry
1351.**Doutor Sax** – Jack Kerouac
1352.**O livro do Tao e da virtude** – Lao-Tsé
1353.**Pista negra** – Antonio Manzini
1354.**A chave de vidro** – Dashiell Hammett
1355.**Martin Eden** – Jack London
1356.**Já te disse adeus, e agora, como te esqueço?** – Walter Riso
1357.**A viagem do descobrimento** – Eduardo Bueno
1358.**Náufragos, traficantes e degredados** – Eduardo Bueno
1359.**Retrato do Brasil** – Paulo Prado
1360.**Maravilhosamente imperfeito, escandalosamente feliz** – Walter Riso
1361.**É...** – Millôr Fernandes
1362.**Duas tábuas e uma paixão** – Millôr Fernandes
1363.**Selma e Sinatra** – Martha Medeiros
1364.**Tudo que eu queria te dizer** – Martha Medeiros
1365.**Várias histórias** – Machado de Assis

lepmeditores
www.lpm.com.br
o site que conta tudo

IMPRESSÃO:

PALLOTTI
GRÁFICA

Santa Maria - RS | Fone: (55) 3220.4500
www.graficapallotti.com.br